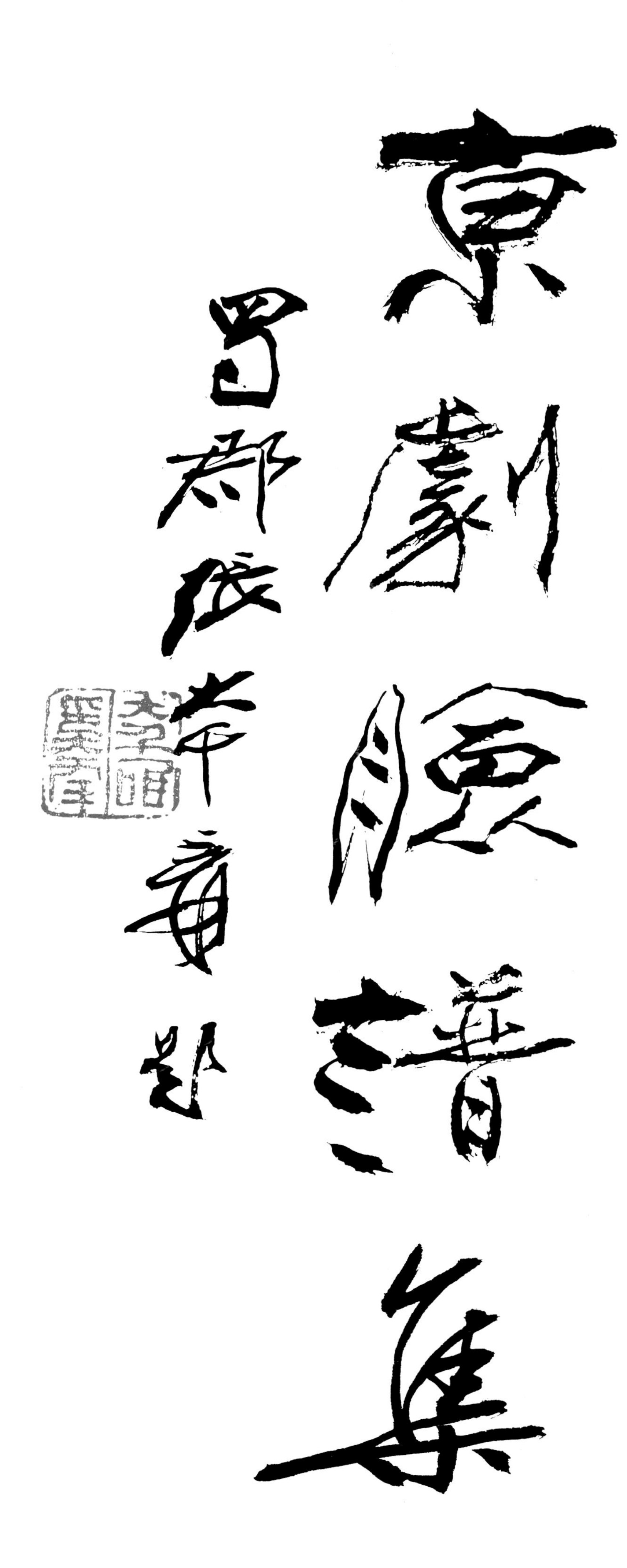
京劇臉譜集

前　　言

范國智(鐵錚)先生

范國智(鐵錚)先生是我哥哥的盟兄弟(大哥是王爾富，范國智是老二，所以常以二哥稱之，老三是我哥哥吳江澄，老四是周泰棣後來才發現，周泰棣比吳江澄實際年齡要大)抗戰以後王爾富去了昆明，周泰棣隨家人出國，而范國智二哥雖然比我大四歲，可是似更有緣，一是同在青年會聯誼社忙社務，天天見面，再則對京劇更是同好，二哥唱大花臉，也打鼓(單皮)，晚期在北京票社為鼓師，我是偏愛文武丑角之演出。二哥每次聽戲必携有紙筆，凡未畫過之花臉，必把劇中人臉譜記錄下來，寫上顏色，如果不對稱的臉譜就必須全摹畫下來，有時看不太清楚，等下次再仔細看，或是到後台去看甚或詢問該演員，這是自二哥十五歲起在北京育英中學讀書時即開始，保持了近六十五年。

近朱者赤，我十四歲時也按照他畫的臉譜摹畫，當時我有一直徑三尺之圓玻璃桌子，抽屉裡放著各種顏色及畫筆，每用顏色即開抽屉取出，用畢放回，時間長了竟然頭痛目眩(那是被顏料所散發的毒素燻的)。二哥讀的是輔仁大學教育系，可是工作却在家父介紹的銀行上了班(後來在人民銀行退休)，二哥一生的唯一嗜好就是京劇，抗戰勝利後我們辦了一份「國風畫報」就在我家南房，請了王傳海為記者，席與承為校對，張恩綸會計，二哥為總編，我是經理兼記者，我用的名字是吳宗炎，並且把炎字創造成火字下面四點—「烾」—自己也不知何所根據，當然這一時期與京劇界人士交往甚密，也使二哥所繪畫的臉譜精益求精，但好景不常，因為戰爭交通中斷了，報社收不到應收報款及廣告費，只得被迫停刊。

一九四九我去了台灣，二哥仍在銀行工作，可是一直没放棄畫京劇臉譜；北京馬市大街乙八號，他居室的書桌上永遠有京劇臉譜的畫頁，畫了再修，修了再畫，求精求美，是其一生唯一的嗜好，一九六六年代，大家都趕著燒掉所謂四舊的文件，他也將歷年收集的京劇資料、劇本、畫刊，拉了一排子車到廢紙收集廠，可是捨不得這八百多頁精心繪製的臉譜，竟然，偷偷藏到床頭帳子上的紙頂棚裡，這在當時是冒大險，弄不好會陪上性命，幸好，保存了下來。

一九七九年我回北京看到這批臉譜時，二哥仍是餘悸猶存，我建議將它出版，可是當時各種限制，難以克服，一九九九年二哥病逝，這變成了他畢生的遺願，他家人將這批臉譜交到我手上，只說了渴望「出版」，我也自覺有這個義務，可是近八百頁臉譜，其中如十八羅漢之編排未做詳註，二十八宿只有一半，有的有人名無劇目，所以我又狗尾續貂，自不量力的加上了二百頁臉譜，湊上九九九之數，當然明眼人一看就知，那些畫的粗糙欠美的，都是後補的，但也不失為對京劇臉譜藝術的一點愚忠吧。

吳兆南2001年

于三千堂

范國智先生
秦皇島至山海關途中
攝於燕塞湖畔 1985.8

1979年范國智・吳兆南攝於北京美術館

京劇臉譜簡介

清乾隆五十五年(1790)四大徽班(三慶，四喜，春台，和春)進北京，才有「京劇」之名稱。京劇臉譜，是在没有「京劇」這名詞以前就有的戲劇「塗面」型式，但比清代以後的繪製簡單、粗糙；那是元、明時代(1280－1644)的戲劇化裝創造，是由早期「歌者不舞，舞者不歌」的戴面具而蛻變出來的型式，可是已經奠定了用顏色分人性的不成文法，如：紅色的關羽（圖241）代表忠義，白色的曹操（圖704）代表奸險，致使後人無法改變，更引申了黃色代表勇猛、殘暴，如典韋（圖576），藍色代表剛强、暴烈如竇爾墩（圖377）、馬武（圖381）等，油白代表剛愎如高登（圖292），揉色（以紅、黃、藍三色組合而成近醬色）代表勇武，如張郃（圖310）、專諸（圖324）等，金銀色僅用于神怪臉譜，如元始天尊（圖149）、金錢豹（圖195）等。臉譜之規劃分為十類：

一、整臉，滿臉一色，端正有緻，多用于正派人物如包公案之包拯（圖244）、三國劇的關羽（圖241）等。

二、老臉，又名六分臉以其形似「六」字，或曰其主色部位佔了全臉十分之六而得名，多用于重臣、老將，如二進宮之徐延昭（圖523）、群英會之黃蓋（圖524）等。

三、三塊瓦臉，是以眉、眼、鼻三部位，加大後分為三部份（三塊）而得名，是在整個臉譜中佔較多之譜式，如：鐵籠山之姜維（圖259）失街亭之馬謖（圖371）等，並有花三塊瓦，如連環套之竇爾墩（圖377）戰宛城之典韋（圖576）等，此外僧道臉及太監臉也多屬于三塊瓦之類，如法門寺之劉瑾（圖699）、醉打山門之魯智深（圖672）等。

四、十字門臉，是以此類臉譜鼻樑部份有一「十」字形圖紋而得名，如三國戲的張飛（圖495）、洪羊洞之焦贊（圖504）等。

五、碎臉，也稱為花臉，大多用于身份中等之將校或江湖綠林人氏，如白水灘之徐世英（圖550）、鎖五龍之單雄信（圖598）等。

六、歪臉，多用于五官歪斜行為不正者如霸王莊之于七（圖662）、白綾記之李七（圖666）等。

七、破臉，與歪臉不盡相同，多用于有缺陷之顯示，如紅逼宮之司馬師（圖480）左眼有瘤，長坂坡之夏候惇（圖865）眇一目等。

八、無雙臉，用于特殊性格之人物，如霸王別姬之項羽（圖393）、祥梅寺之黃巢（圖992）等。

九、粉白奸臉，多用于奸險冷酷之人物，如三國戲之曹操（圖703）、宇宙鋒之趙高（圖745）等。

十、神怪臉，凡非人或已成仙及鬼怪之類統稱，如西遊記之孫悟空（圖3）、巨靈神（圖81）等。

京劇臉譜數百種，經過百年之沿用已成定型，使觀劇者一目瞭然台上劇中人之身份，那是張飛（圖495），那是張郃（圖310），這是孫悟空（圖3），這是朱八戒（圖201），相信各國之戲劇，尚無能臻此意境者。

書中圖譜繪製者范鐵錚（國智）山東，陽穀人，(1920－1999)年生于北平，在育英中學讀書時期即酷愛京劇，尤嗜京劇之「臉譜」摹畫，十五歲起每當觀劇必携紙筆，當場臨摹台上花臉之臉譜，其對稱者首先勾畫半邊，並註明顏色，回家後即畫于紙上，如有不確定者，一再改正，甚或至後台請教于該演員，後來在攻讀輔仁大學教育系時，與吳兆南等人合辦國風畫報，更常與伶人往還，乃得以將京劇臉譜精益求精，並將各流派之不同畫法分析、釐清，使愛好者有所依據。

文化大革命時期，曾甘冒生命之危險，將這數百頁臉譜藏匿于床頭頂棚之中，幸未被紅衛兵搜出，才得保留至今，其後恢復演出京劇，因十年中斷，致有舊譜不復記憶者，只得向范君求借，如春秋筆之檀道濟（圖431），李萬春本派之大鵬金翅鳥（圖206）等都彌足珍貴，今將九百九十九臉譜(內有二百譜為吳兆南後補繪製)印製成册，可為後進從業學員之參考藍本，便于傳承，更得以顯示中國戲劇之偉大宏觀。

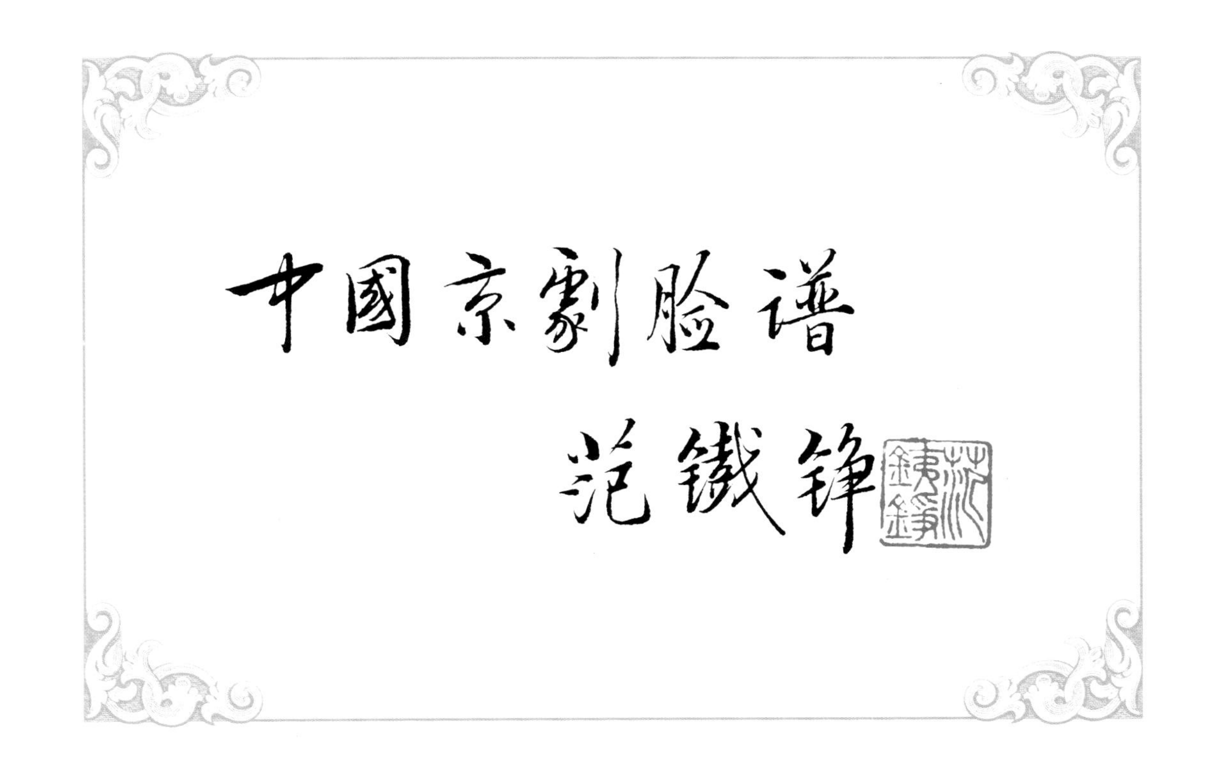

A BRIEF INTRODUCTION TO THE FACE – PAINTING TECHNIQUE IN PEKING OPERA

In 1790, four most famous regional opera troupes from Anhui Province arrived in Peking to take part in the celebration of Emperor Qian – Long' s 60th birthday. Instead of going back to Anhui, they settled down in the national capital. This development has been regarded as the origination of Peking Opera ever since.

At first, some of the opera performers had to hold their masks with their teeth. Such a requirement did not hinder their profession because in ancient times, acting and singing were separated, i. e., actors were not required to sing while singers were not demanded to act. After face – painting technique was developed to substitute the masks, actors are able to act and sing simultaneously.

With the emergence of the face – painting technique, various colors were assigned to different identity and personality. For instance, red color is usually reserved for person of integrity. General GUAN – Yu (No. 241) is the most typical example. White color signifies trickery like CAO – Cao (No. 704). Yellow color represents savage like DIAN – Wei (No. 576). Blue color means strong but impatient like DOU Er – Dun (No. 377), or MA Wu (No. 381). Oily whitish indicates egoistic like GAO Dong (No. 292). Brownish colors show bravery like ZHANG He (No. 310), or ZHUAN Zhu (No. 324). Gold and Silver colors are reserved for super – natural characters, demons, and animals.

The face – painting patterns can be divided into ten categories:

1. Bold Make – Up : Mainly, a single color is used for upright characters like BAO Zhen (No. 244) or GUAN Yu (No. 241).
2. Senior Make – Up : also known as Sextant Design because one particular color covers nearly 60% of the face. This pattern is usually reserved for advanced – aged high – ranking officials or generals, e. g., XIU Yan – Zhao (No. 523) or HUANG GAI (No. 524).
3. Tripartite Make – Up : This style requires the entire face to be evenly divided into three parts, i. e., the forehead, the eyes and the nose. It is the most popular pattern used in Peking Opera. Outstanding examples are JIANG Wei (No. 259) or MA Su (No. 371). Some patterns of this kind are rather complicated such as that of DUO Er – Don (no. 377) or that of DIAN Wei (No. 576). In addition, patterns designed for Buddhist monks, Daoists, and eunuchs such as LIU Jin (No. 699) or LU Zhi – Shen (No. 672) belong to this category as well.
4. Cross Make – Up : This pattern features a cross with its center at the bridge of the nose. Outstanding examples are ZHANG Fei (No. 495) and JIAO Zan (No. 504).
5. Fragmentary Make – Up: It is also known as Flowery Make – Up. It is usually reserved for middle – echelon officers or unlawful characters such as XIU Shi – Ying (No. 550) or SHAN Xiong – Xin (No. 598).
6. Slanted – Face Make – Up: Designed for characters with an unsymmetrical face or horrible behavior such as YU Qi (No. 662) or LI Qi (No. 666).

7. Broken Face Make – Up: Unlike slanted face Make – Up, this pattern is designed for characters with certain birth defects or traces of battle wound such as SIMA Shi (No. 480) or XIA Hou – Don (No. 865).
8. Unique Make – Up: Reserved for people with extraordinary facial features such as XIANG Yu (No. 393) or HUANG Chao (No. 992).
9. Whitish Make – Up: Reserved for scheming and malicious characters such as CAO Cao (No. 703) or ZHAO Gao (No. 745).
10. Supernatural Make – Up: Designed for super – natural characters, demons imps, ghosts, etc. Typical examples are SUN Wu – Kong (No. 3) and JU Ling – Shen (No. 81).

Several hundreds of face – painting patterns are known in existence. They have been in use for so long that the Chinese audiences are quite familiar with most of them. Usually, they can tell which one is ZHANG Fei (No. 495), which one is ZHANG He (No. 310), which one is SUN Wu – Kong (No. 3), and which one is JU LING SHEN(No. 81) by just reading the face – painting patterns. It is believed that no parallel situation can be found anywhere else.

All the patterns in this collection were drawn by Mr. FAN Tie – Zheng (Guo – Zhi). Mr. FAN is a native of Yang – Gu, Shan – Dong Province and was born in Peking in 1920. He fell in love with Peking Opera since he was 15 years old, a student in Yu Ying Middle School. He was particularly interested in the face – painting technique. He always carried paper and pen with him whenever he went to a theater. He would try to copy the face – painting patterns of the characters on the stage right there and then. If the pattern were symmetrical, he would draw only half of it and marked the various colors used here and there. He would finish it after he returned home. He knew he could not be perfect in his first try. Therefore, he kept on revising his copy until he was sure it is one hundred per cent correct. Sometimes, he visited the back stage to ask the actor(s) for authentication. Later on, he became the publisher of " Guo Feng Pictural Daily" along with Mr. WU Zhao – Nan and several others when he began to attend Fu Jen University. He made many friends with Peking Opera professionals. Therefore, he was able to collect various face – painting patterns practiced by different actors for the same character in the same show. The end result is that people who are also interested in this kind of art will have an opportunity to compare them and make their own choice.

During the Cultural Revelation, Mr. FAN risked his life by hiding the several hundred face – painting patterns he had collected in the paper – covered ceiling over the headboard of his bed. Fortunately, the Red Guards who invaded and searched his home did not discover them. This valuable cultural treasure was thus preserved. After the ten – year long Cultural Revolution was finally over, some professional Peking Opera actors had to seek help from Mr. FAN for certain patterns they had already forgotten how to do them. Those of TAN Dao – Chi (No. 431) and Da Peng Jin Chi Niao (No. 206) are but a few examples that could be lost forever without Mr. FAN's meritorious effort.

The publication of this collection of almost one thousand Peking Opera Face – Painting Patterns is aimed at providing a reference textbook for future Peking Opera professionals so that this unique, great art of the Chinese Theater will continue to flourish and grow.

門見山也。霓先生鐵錚與學友異北南光為總角交，暨齡即喜畫臉譜，遂依舊時之名演員舞臺造型為之，累積得八百一幅。文革時冒死匿藏保存至今。而先生遊美北處，又為補繪，共九百九十九圖，藉將付梓以饗揚國萃，而紀念之。友聞序於余，爰書以敬言，謹以相命。

辛巳溽暑 張大夏 時年八十有六

臉譜有謂起源於北齊蘭陵王戎面者有謂濫觴於宋時之吞花戴弄者有謂來自南滇之儺面戲者說解不一而綜合衍變成為我國傳統戲劇所獨有別含寓所共識以言美術則如敦煌壁畫之古樸絢麗而兼具工細筆意之意趣以言書法則承宮、法而參以行楷篆隸之筆鋒於是垂範家善要那只於彩色線條之中又要寫其之繡使劇中人無所遁形此舉非止山先生謂為開

目　　録

1 孫悟空(SUN WU KONG)《安天會，楊月樓譜》 ……1
2 孫悟空(SUN WU KONG)《安天會，楊小樓譜》 ……1
3 孫悟空(SUN WU KONG)《水簾洞，李少春譜》 ……1
4 孫悟空(SUN WU KONG)《姚喜成譜》 ……1
5 孫悟空(SUN WU KONG)《鄭法祥譜》 ……1
6 孫悟空(SUN WU KONG)《張翼鵬譜》 ……1
7 孫悟空(SUN WU KONG)《福壽三多》 ……1
8 孫悟空(SUN WU KONG)《郝振基譜》 ……1
9 孫悟空(SUN WU KONG)《安天會，李萬春譜》 ……1
10 馬天君(MA TIAN JUN)《安天會》 ……2
11 趙天君(ZHAO TIAN JUN)《安天會》 ……2
12 溫天君(WEN TIAN JUN)《安天會》 ……2
13 劉天君(LIU TIAN JUN)《安天會》 ……2
14 東斗星君(DONG DOU XING JUN)《安天會》 ……2
15 西斗星君(XI DOU XING JUN)《安天會》 ……2
16 南斗星君(NAN DOU XING JUN)《安天會》 ……2
17 北斗星君(BEI DOU XING JUN)《安天會》 ……2
18 靈官(LING GUAN)《安天會》 ……2
19 青龍(QING LONG)《安天會》 ……3
20 白虎(BAI HU)《安天會》 ……3
21 羅猴星(LOU HOU XING)《安天會》 ……3
22 計都星(JI DU XING)《安天會》 ……3
23 天罡(TIAN GANG)《安天會》 ……3
24 地煞(DI SHA)《安天會》 ……3
25 吊客(DIAO KE)《安天會》 ……3
26 喪門(SANG MEN)《安天會》 ……3
27 雷神(LEI SHEN)《安天會》 ……3
28 降龍羅漢(XIANG LONG LUO HAN)《諾詎羅尊者—十八羅漢收大鵬》 ……4
29 伏虎羅漢(FU HU LUO HAN)《注荼半托迦尊者—十八羅漢收大鵬》 ……4
30 金光羅漢(JIN GUANG LUO HAN)《迦諾迦跋釐隋闍尊者—十八羅漢收大鵬》 ……4
31 銀光羅漢(YIN GUANG LUO HAN)《那伽摩那尊者—十八羅漢收大鵬》 ……4
32 永睡羅漢(YONG SHUI LUO HAN)《因揭陀尊者—十八羅漢收大鵬》 ……4
33 沉醉羅漢(CHEN ZUI LUO HAN)《蘇頻陀尊者—十八羅漢收大鵬》 ……4
34 長臂羅漢(CHANG BI LUO HAN)《阿氏多尊者—十八羅漢收大鵬》 ……4
35 長眉羅漢(CHANG MEI LUO HAN)《伐闍羅弗多羅尊者—十八羅漢收大鵬》 ……4
36 護法羅漢(HU FA LUO HAN)《伐那波斯尊者—十八羅漢收大鵬》 ……4
37 守壇羅漢(SHOU TAN LUO HAN)《慶有應眞尊者—十八羅漢收大鵬》 ……5
38 肥胖羅漢(FEI PANG LUO HAN)《迦諾迦伐蹉尊者—十八羅漢收大鵬》 ……5
39 枯瘦羅漢(KU SHOU LUO HAN)《迦哩迦尊者—十八羅漢收大鵬》 ……5
40 體高羅漢(TI GAO LUO HAN)《羅怙羅尊者—十八羅漢收大鵬》 ……5
41 體矮羅漢(TI AI LUO HAN)《賓頭盧尊者—十八羅漢收大鵬》 ……5
42 六合羅漢(LIU HE LUO HAN)《跋陀羅尊者—十八羅漢收大鵬》 ……5
43 獻佛羅漢(XIAN FO LUO HAN)《半托迦尊者—十八羅漢收大鵬》 ……5

44 先知羅漢(XIAN ZHI LUO HAN)《戍博迦尊者—十八羅漢收大鵬》 …… 5
45 赤腳羅漢(CHI JIAO LUO HAN)《賓度羅跋囉隋闍尊者—十八羅漢收大鵬》 …… 5
46 亢金龍(KANG JIN LONG)《混元盒》 …… 6
47 尾火虎(WEI HUO HU)《混元盒》 …… 6
48 奎木狼(KUI MU LANG)《混元盒》 …… 6
49 箕水豹(JI SHUI BAO)《混元盒》 …… 6
50 牛金牛(NIU JIN NIU)《混元盒》 …… 0
51 角木蛟(JUE MU JIAO)《混元盒》 …… 6
52 婁金狗(LOU JIN GOU)《混元盒》 …… 6
53 室火豬(SHI HUO ZHU)《混元盒》 …… 6
54 昴日雞(MAO RI JI)《混元盒》 …… 6
55 畢月烏(BI YUE WU)《混元盒》 …… 7
56 嘴火猴(ZUI HUO HOU)《混元盒》 …… 7
57 軫水蚓(ZHEN SHUI YIN)《混元盒》 …… 7
58 虛日鼠(XU RI SHU)《混元盒》 …… 7
59 女土蝠(NU TU FU)《混元盒》 …… 7
60 蜈蚣精(WU GONG JING)《混元盒》 …… 7
61 壁虎精(BI HU JING)《混元盒》 …… 7
62 蛤蟆精(HA MA JING)《混元盒》 …… 7
63 蝎子精(XIE ZI JING)《混元盒》 …… 7
64 牛金牛(NIU JIN NIU)《混元盒》 …… 8
65 鬼金羊(GUI JIN YANG)《混元盒》 …… 8
66 斗木獬(DOU MU XIE)《混元盒》 …… 8
67 井木犴(JING MU AN)《混元盒》 …… 8
68 壁水貐(BI SHUI YU)《混元盒》 …… 8
69 參水猿(SHEN SHUI YUAN)《混元盒》 …… 8
70 翼火蛇(YI HUO SHE)《混元盒》 …… 8
71 柳土獐(LIU TU ZHANG)《混元盒》 …… 8
72 胃土雉(WEI TU ZHI)《混元盒》 …… 8
73 氐土貉(DI TU HAO)《混元盒》 …… 9
74 房日兔(FANG RI TU)《混元盒》 …… 9
75 星日馬(XING RI MA)《混元盒》 …… 9
76 心月狐(XIN YUE HU)《混元盒》 …… 9
77 張月鹿(ZHANG YUE LU)《混元盒》 …… 9
78 章馬大(ZHANG MA DA)《合缽》 …… 9
79 混世魔王(HUN SHI MO WANG)《水簾洞》 …… 9
80 崔鈺(CUI YÜ)《遊地府》 …… 9
81 巨靈神(JÜ LING SHEN)《鬧天宮》 …… 9
82 黃龍眞人(HUANG LONG ZHEN REN)《三進碧遊宮》 …… 10
83 猧狨王(WO RONG WANG)《水簾洞》 …… 10
84 李鐵拐(LI TIE GUAI)《蟠桃會》 …… 10
85 青石精(QING SHI JING)《混元盒》 …… 10
86 白石怪(BAI SHI GUAI)《混元盒》 …… 10
87 黑狐精(HEI HU JING)《混元盒》 …… 10
88 白狐精(BAI HU JING)《混元盒》 …… 10
89 花判(HUA PAN)《九蓮燈，錢金福譜》 …… 10

90 大判(DA PAN)《九蓮燈,何桂山譜》 …… 10
91 花判(HUA PAN)《九蓮燈,侯益隆譜》 …… 11
92 鐘馗(ZHONG KUI)《嫁妹》 …… 11
93 五殿判官(WU DIAN PAN GUAN)《九蓮燈》 …… 11
94 火判(HUO PAN)《九蓮燈》 …… 11
95 陰陽判官(YIN YANG PAN GUAN)《九蓮燈》 …… 11
96 水判(SHUI PAN)《九蓮燈》 …… 11
97 福判(FU PAN)《九蓮燈》 …… 11
98 醫判(YI PAN)《九蓮燈》 …… 11
99 秦廣王(QIN GUANG WANG)《一殿閻君》 …… 11
100 楚江王(CHU JIANG WANG)《二殿閻君》 …… 12
101 宋帝王(SONG DI WANG)《三殿閻君》 …… 12
102 仵官王(WU GUAN WANG)《四殿閻君》 …… 12
103 閻羅王(YAN LUO WANG)《五殿閻君》 …… 12
104 平等王(PING DENG WANG)《六殿閻君》 …… 12
105 泰山王(TAI SHAN WANG)《七殿閻君》 …… 12
106 都市王(DU SHI WANG)《八殿閻君》 …… 12
107 六城王(LIU CHENG WANG)《九殿閻君》 …… 12
108 轉輪王(ZHUAN LUN WANG)《十殿閻君》 …… 12
109 東海龍王(DONG HAI LONG WANG)《水簾洞》 …… 13
110 西海龍王(XI HAI LONG WANG)《水簾洞》 …… 13
111 南海龍王(NAN HAI LONG WANG)《水簾洞》 …… 13
112 北海龍王(BEI HAI LONG WANG)《水簾洞》 …… 13
113 王八精(WANG BA JING)《水簾洞》 …… 13
114 蝦米精(XIA MI JING)《水簾洞》 …… 13
115 牛魔王(NIU MO WANG)《水簾洞》 …… 13
116 獅駝王(SHI TUO WANG)《水簾洞》 …… 13
117 梅花王(MEI HUA WANG)《水簾洞》 …… 13
118 象農王(XIANG NONG WANG)《水簾洞》 …… 14
119 狡魔王(JIAO MO WANG)《水簾洞》 …… 14
120 金錢王(JIN QIAN WANG)《水簾洞》 …… 14
121 魔禮青(MO LI QING)《佳夢關》 …… 14
122 魔禮紅(MO LI HONG)《佳夢關》 …… 14
123 魔禮海(MO LI HAI)《佳夢關》 …… 14
124 魔禮壽(MO LO SHOU)《佳夢關》 …… 14
125 鄭倫(ZHENG LUN)《青龍關》 …… 14
126 陳奇(CHEN QI)《青龍關》 …… 14
127 李靖(LI JING)《安天會》 …… 15
128 楊戩(YANG JIAN)《安天會》 …… 15
129 巨靈神(JÜ LING SHEN)《安天會》 …… 15
130 急如火(JI RU HUO)《火雲洞》 …… 15
131 快如風(KUAI RU FENG)《火雲洞》 …… 15
132 雲裏霧(YUN LI WU)《火雲洞》 …… 15
133 霧裏雲(WU LI YUN)《火雲洞》 …… 15
134 哮天犬(XIAO TIAN QUAN)《安天會》 …… 15
135 明如月(MING RU YÜE)《火雲洞》 …… 15

136 朗如星(LANG RU XING)《火雲洞》 …… 16
137 急如火(JI RU HUO)《火雲洞》 …… 16
138 快如風(KUAI RU FENG)《火雲洞》 …… 16
139 袁洪(YUAN HONG)《收梅山七怪》 …… 16
140 朱子眞(ZHU ZI ZHEN)《收梅山七怪》 …… 16
141 楊顯(YANG XIAN)《收梅山七怪》 …… 16
142 戴禮(DAI LI)《收梅山七怪》 …… 16
143 吳龍(WU LONG)《收梅山七怪》 …… 16
144 金大升(JING DA SHENG)《收梅山七怪》 …… 16
145 常昊(CHANG HAO)《收梅山七怪》 …… 17
146 鱔魚精(SHAN YU JING)《混元盒》 …… 17
147 蚌精(BANG JING)《混元盒》 …… 17
148 通天教主(TONG TIAN JIAO ZHU)《三進碧遊宮》 …… 17
149 元始天尊(YUAN SHI TIAN ZUN)《三進碧遊宮》 …… 17
150 如來佛(RU LAI FO)《三進碧遊宮》 …… 17
151 赤精子(CHI JING ZI)《乾元山》 …… 17
152 廣成子(GUANG CHENG ZI)《乾元山》 …… 17
153 太乙眞人(TAI YI ZHEN REN)《乾元山》 …… 17
154 道德眞君(DAO DE ZHEN JUN)《三進碧遊宮》 …… 18
155 靈寶法師(LING BAO FA SHI)《三進碧遊宮》 …… 18
156 雲中子(YUN ZHONG ZI)《乾元山》 …… 18
157 姜尚(JIANG SHANG)《摘星樓》 …… 18
158 龍須虎(LONG XU HU)《三進碧遊宮》 …… 18
159 雷震子(LEI ZHEN ZI)《三進碧遊宮》 …… 18
160 土行孫(TU XING SUN)《三進碧遊宮》 …… 18
161 金吒(JIN ZHA)《封神榜》 …… 18
162 木吒(MU ZHA)《封神榜》 …… 18
163 靈牙大仙(LING YA DA XIAN)《十絕陣》 …… 19
164 蝤首大仙(QIU SHOU DA XIAN)《三進碧遊宮》 …… 19
165 金光大仙(JIN GUANG DA XIAN)《封神榜》 …… 19
166 姚少司(YAO SHAO SI)《十絕陣》 …… 19
167 陳九公(CHEN JIU GONG)《十絕陣》 …… 19
168 蕭升(XIAO SHENG)《十絕陣》 …… 19
169 曹寶(CAO BAO)《十絕陣》 …… 19
170 張奎(ZHANG KUI)《封神榜》 …… 19
171 呂岳(LÜ YUE)《封神榜》 …… 19
172 蚯蚓(QIU YIN)《青龍關》 …… 20
173 殷郊(YIN JIAO)《封神榜》 …… 20
174 馬元(MA YUAN)《封神榜》 …… 20
175 金眼豹(JIN YAN BAO)《百草山》 …… 20
176 孔雀(KONG QUE)《百草山》 …… 20
177 白鸚鵡(BAI YING WU)《百草山》 …… 20
178 白龍(BAI LONG)《哪吒鬧海》 …… 20
179 柳仙(LIU XIAN)《蟠桃會》 …… 20
180 黃毛童(HUANG MAO TONG)《蟠桃會》 …… 20
181 梟神(XIAO SHEN)《萬獸陣》 …… 21

182 穿山甲(CHUAN SHAN JIA)《萬獸陣》……21
183 蜘蛛精(ZHI ZHU JING)《萬獸陣》……21
184 煞神(SHA SHEN)《打棍出箱》……21
185 金牛星(JIN NIU XING)《天河配》……21
186 鵲神(QUE SHEN)《天河配》……21
187 財神(CAI SHEN)《財源輻輳》……21
188 瑞香花神(RUI XIANG HUA SHEN)《牡丹亭》……21
189 雷祖(LEI ZU)《天雷報》……21
190 火德星君(HUO DE XING JUN)《梅玉配》……22
191 歪臉靈官(WAI LIAN LING GUAN)《五靈官》……22
192 老靈官(LAO LING GUAN)《五靈官》……22
193 金角大仙(JIN JIAO DA XIAN)《西遊記》……22
194 銀角大仙(YIN JIAO DA XIAN)《西遊記》……22
195 金錢豹(JIN QIAN BAO)《金錢豹》……22
196 貓神(MAO SHEN)《無底洞》……22
197 鼠精(SHU JING)《無底洞》……22
198 解脱大王(JIE TUO DA WANG)《小行者力挑十二塹》……22
199 黑孩兒(HEI HAI ER)《小行者力挑十二塹》……23
200 沙悟淨(SHA WU JING)《流沙河》……23
201 豬八戒(ZHU BA JIE)《金錢豹》……23
202 長耳大仙(CHANG ER DA XIAN)《嫦娥奔月》……23
203 玉帝(YÜ DI)《鬧天宮》……23
204 丑龍王(CHOU LONG WANG)《混元盒》……23
205 張道陵(ZHANG DAO LING)《混元盒》……23
206 大鵬金翅鳥(DA PENG JINC CHI NIAO)《十八羅漢收大鵬》……23
207 赤兔(CHI TU)《天香慶節》……23
208 伽藍(QIE LAN)《林冲夜奔》……24
209 周倉(ZHOU CANG)《青石山》……24
210 龕穰子(KAN RANG ZI)《青石山》……24
211 白眼神魔(BAI YAN SHEN MO)《三進碧遊宮》……24
212 鹿童(LU TONG)《盜仙草》……24
213 鶴童(HAO TONG)《盜仙草》……24
214 墨猴(MO HOU)《安天會》……24
215 土地(TU DI)《安天會》……24
216 塔神(TA SHEN)《雷峰塔》……24
217 皂王(ZAO WANG)《紫荊樹》……25
218 長耳定光仙(CHANG ER DING GUANG XIAN)《三進碧遊宮》……25
219 金甲神(JIN JIA SHEN)《白蛇傳》……25
220 火將(HUO JIANG)《啣石填海》……25
221 火將(HOU JIANG)《啣石填海》……25
222 青背龍君(QING BEI LONG JUN)《啣石填海》……25
223 火將(HUO JIANG)《啣石填海》……25
224 火將(HUO JIANG)《啣石填海》……25
225 鯿將(BIAN JIANG)《啣石填海》……25
226 蚌精(BANG JING)《廉錦楓》……26

227 龜將(GUI JIANG)《盂蘭會》……26
228 巨靈子(JÜ LING ZI)《混元盒》……26
229 大鬼(DA GUI)《盂蘭會》……26
230 魑鬼(CHI GUI)《盂蘭會》……26
231 魅鬼(MEI GUI)《盂蘭會》……26
232 魍鬼(WANG GUI)《盂蘭會》……26
233 魎鬼(LIANG GUI)《盂蘭會》……26
234 油流鬼(YOU LIU GUI)《探陰山》……26
235 五路都鬼(WU LU DU GUI)《盂蘭會》……27
236 財魔(CAI MO)《盂蘭會》……27
237 鬼王(GUI WANG)《遊六殿》……27
238 關羽(GUAN YU)《明代譜》……27
239 關羽(GUAN YU)《清代譜》……27
240 關羽(GUAN YU)《古城會,王鳳卿譜》……27
241 關羽(GUAN YU)《過五關,李洪春譜》……27
242 關羽(GUAN YU)《白馬坡,白家麟譜》……27
243 包拯(BAO ZHENG)《明朝譜》……27
244 包拯(BAO ZHENG)《探陰山,金少山譜》……28
245 包拯(BAO ZHENG)《鍘美案,裘盛戎譜》……28
246 包拯(BAO ZHENG)《打龍袍,王泉奎譜》……28
247 吳漢(WU HAN)《斬經堂》……28
248 關太(GUAN TAI)《連環套》……28
249 關太(GUAN TAI)《連環套》……28
250 關勝(GUAN SHENG)《戰渡口》……28
251 潁考叔(YING KAO SHU)《伐子都》……28
252 吳起(WU QI)《湘江會》……28
253 巴永泰(BA YONG TAI)《連環套》……29
254 紀靈(JI LING)《轅門射戟》……29
255 鄂順(E SHUN)《摘星會》……29
256 申尹戍(SHEN YIN SHU)《哭秦庭》……29
257 徐寧(XÜ NING)《林沖夜奔》……29
258 姜叙(JIANG XÜ)《冀州城》……29
259 姜維(JIANG WEI)《鐵籠山》……29
260 赤福壽(CHI FU SHOU)《取金陵》……29
261 荊軻(JING KE)《荊軻傳》……29
262 郭廣清(GUO GUANG QING)《反徐州》……30
263 曹仁(CAO REN)《長坂坡》……30
264 周德威(ZHOU DE WEI)《珠簾寨》……30
265 傅豹(FU BAO)《將相和》……30
266 高干(GAO GAN)《官渡之戰》……30
267 鄭文(ZHENG WEN)《戰北原》……30
268 檀道濟(TAN DAO JI)《春秋筆》……30
269 李亞子(LI YA ZI)《五侯宴》……30
270 魏琦(WEI QI)《連環陣》……30
271 張龍(ZHANG LONG)《鍘美案》……31

272 蔡福(CAI FU)《大名府》……31
273 徐晃(XÜ HUANG)《長坂坡》……31
274 周泰(ZHOU TAI)《連營寨》……31
275 楊阜(YANG FU)《冀州城》……31
276 孟和祥(MENG HE XIANG)《五侯宴》……31
277 須賈(XÜ JIA)《贈綈袍》……31
278 淳于導(CHUN YÜ DAO)《金鎖陣》……31
279 夏副將(XIA FU JIANG)《白水灘》……31
280 李仁(LI REN)《硃痕記》……32
281 李典(LI DIAN)《金鎖陣》……32
282 安殿寶(AN DIAN BAO)《獨木關》……32
283 賀天龍(HE TIAN LONG)《連環套》……32
284 王棟(WANG DONG)《淮安府》……32
285 王文(WANG WEN)《楊門女將》……32
286 羅四虎(LUO SI HU)《獨虎營》……32
287 李虎(LI HU)《刺虎》……32
288 花德雷(HUA DE LEI)《溪皇莊》……32
289 曹登龍(CAO DENG LONG)《黑旋風》……33
290 武文華(WU WEN HUA)《武文華》……33
291 楊鏞(YANG YONG)《滿江紅》……33
292 高登(GAO DENG)《艷陽樓,俞振庭譜》……33
293 高登(GAO DENG)《艷陽樓,尚和玉譜》……33
294 高登(GAO DENG)《艷陽樓,孫毓堃譜》……33
295 高登(GAO DENG)《艷陽樓》……33
296 審配(SHEN PEI)《官渡之戰》……33
297 宋萬(SONG WAN)《林冲夜奔》……33
298 謝廷芳(XIE TING FANG)《雛鳳凌空》……34
299 祝彪(ZHU BIAO)《三打祝家莊》……34
300 嚴年(YAN NIAN)《周仁獻嫂》……34
301 徐亮(XU LIANG)《響馬傳》……34
302 王倫(WANG LUN)《雛鳳凌空》……34
303 大馬快(DA MA KUAI)《嘉興府》……34
304 魏王(WEI WANG)《兵符記》……34
305 樂進(YUE JIN)《長坂坡》……34
306 襄陽王(XIANG YANG WANG)《銅網陣》……34
307 劉武周(LIU WU ZHOU)《四平山》……35
308 宇文成都(YU WEN CHENG DU)《南陽關》……35
309 拓拔安擷(TUO BA AN XIE)《春秋筆》……35
310 張郃(ZHANG HE)《長坂坡》……35
311 夏侯霸(XIA HOU BA)《鐵籠山》……35
312 杜襲(DU XI)《陽平關》……35
313 文聘(WEN PIN)《長坂坡》……35
314 顏良(YAN LIANG)《白馬坡》……35
315 潘璋(PAN ZHANG)《玉泉山》……35
316 歐陽春(OU YANG CHUN)《七俠五義》……36

317 龐統(PANG TONG)《耒陽縣》 ……36
318 王通(WANG TONG)《趙家樓》 ……36
319 周紀(ZHOU JI)《摘星樓》 ……36
320 常遇春(CHANG YÜ CHUN)《狀元印》 ……36
321 東方清(DONG FANG QING)《藏珍樓》 ……36
322 尤俊達(YOU JÜN DA)《打登州》 ……36
323 王朝(WANG CHAO)《鍘美案》 ……36
324 專諸(ZHUAN ZHU)《魚藏劍》 ……36
325 魏文通(WEI WEN TONG)《麒麟閣》 ……37
326 呂祿(LÜ LU)《十老安劉》 ……37
327 欒廷玉(LUAN TING YU)《祝家莊》 ……37
328 烏裏赫(WU LI HE)《蘆花河》 ……37
329 孟覺海(MENG JÜE HAI)《雅觀樓》 ……37
330 鄭環(ZHENG HUAN)《八大錘》 ……37
331 袁紹(YUAN SHAO)《斬華雄》 ……37
332 周芩(ZHOU QIN)《十五貫》 ……37
333 公孫勝(GONG SUN SHENG)《黃泥崗》 ……37
334 李左車(LI ZUO CHE)《淮河營》 ……38
335 花振芳(HUA ZHEN FANG)《宏碧緣》 ……38
336 盧芳(LU FANG)《三俠五義》 ……38
337 魏絳(WEI JIANG)《八義圖》 ……38
338 李俊(LI JÜN)《大名府》 ……38
339 黃三太(HUANG SAN TAI)《李家店》 ……38
340 惠南王(HUI NAN WANG)《伐子都》 ……38
341 鮑賜安(BAO CI AN)《溪皇莊》 ……38
342 鄧振彪(DENG ZHEN BIAO)《弓硯緣》 ……38
343 楊林(YANG LIN)《響馬傳》 ……39
344 張定邊(ZHANG DING BIAN)《九江口》 ……39
345 蔡慶(CAI QING)《溪皇莊》 ……39
346 蔡陽(CAI YANG)《古城會》 ……39
347 竇建德(DOU JIAN DE)《四平山》 ……39
348 丁奉(DING FENG)《迴荊州》 ……39
349 項伯(XIANG BO)《鴻門宴》 ……39
350 薛應龍(XUE YING LONG)《講堂鬥志》 ……39
351 白彥陀(BAI YAN TUO)《狀元印》 ……39
352 荀林父(XUN LIN FU)《連環陣》 ……40
353 殷洪(YIN HONG)《殷家堡》 ……40
354 鐵木耳(TIE MU ER)《采石磯》 ……40
355 東方亮(DONG FANG LIANG)《藏珍樓》 ……40
356 晁蓋(CHAO GAI)《一箭仇》 ……40
357 樊洪(FAN HONG)《樊江關》 ……40
358 李佩(LI PEI)《落馬湖》 ……40
359 廖奇冲(LIAO QI CHONG)《四杰村》 ……40
360 呂產(LÜ CHAN)《十老安劉》 ……40
361 敖唐(AO TANG)《同命鳥》 ……41

362 武成(WU CHENG)《三盜九龍杯》……41
363 李逵(LI KUI)《清風寨,金少山譜》……41
364 李逵(LI KUI)《清代譜》……41
365 李逵(LI KUI)《清風寨,黃潤甫譜》……41
366 李逵(LI KUI)《丁甲山,郝壽臣譜》……41
367 李逵(LI KUI)《清風寨,侯喜瑞譜》……41
368 李逵(LI KUI)《清風寨,金少山譜》……41
369 馬謖(MA SU)《失街亭,錢金福譜》……41
370 馬謖(MA SU)《失街亭,金少山譜》……42
371 馬謖(MA SU)《失街亭,郝壽臣譜》……42
372 馬謖(MA SU)《失街亭,侯喜瑞譜》……42
373 竇爾墩(DOU ER DUN)《李家店,徐寶成譜》……42
374 竇爾墩(DOU ER DUN)《李家店,錢金福譜》……42
375 竇爾墩(DOU ER DUN)《連環套,郝壽臣譜》……42
376 竇爾墩(DOU ER DUN)《連環套,金少山譜》……42
377 竇爾墩(DOU ER DUN)《連環套,袁世海譜》……42
378 竇爾墩(DOU ER DUN)《連環套,裘盛戎譜》……42
379 竇爾墩(DOU ER DUN)《連環套,侯喜瑞譜》……43
380 馬武(MA WU)《光緒年譜》……43
381 馬武(MA WU)《取洛陽》……43
382 馬武(MA WU)《明代譜》……43
383 馬武(MA WU)《清代昇平署譜》……43
384 馬武(MA WU)《咸豐年譜》……43
385 馬武(MA WU)《同治年譜》……43
386 尉遲敬德(YÜ CHI JING DE)《明代譜》……43
387 尉遲敬德(YÜ CHI JING DE)《清代譜》……43
388 尉遲敬德(YÜ CHI JING DE)《還二鐗,清代譜》……44
389 尉遲敬德(YÜ CHI JING DE)《民初譜》……44
390 尉遲敬德(YÜ CHI JING DE)《御果園》……44
391 項羽(XIANG YÜ)《清代譜》……44
392 項羽(XIANG YÜ)《取滎陽,清代譜》……44
393 項羽(XIANG YÜ)《霸王別姬》……44
394 項羽(XIANG YÜ)《霸王別姬,楊小樓譜》……44
395 華雄(HUA XIONG)《斬華雄》……44
396 孟獲(MENG HUO)《七擒孟獲》……44
397 柳遲(LIU CHI)《火燒紅蓮寺》……45
398 石鑄(SHI ZHU)《盜金蟾》……45
399 熊闊海(XIONG KUO HAI)《千斤閘》……45
400 辛文禮(XIN WEN LI)《虹霓關》……45
401 蔣忠(JIANG ZHONG)《快活林》……45
402 張順(ZHANG SHUN)《大名府》……45
403 任彥龍(REN YAN LONG)《雲羅山》……45
404 柳旺(LIU WANG)《藏珍樓》……45
405 賀天虎(HE TIAN HU)《連環套》……45
406 王班超(WANG BAN CHAO)《盤腸戰》……46
407 薛賢徒(XUE XIAN TU)《獨木關》……46

408 蔡天化(CAI TIAN HUA)《淮安府》 …… 46
409 魏定國(WEI DING GUO)《水火將軍》 …… 46
410 楊藩(YANG FAN)《姑嫂英雄》 …… 46
411 關平(GUAN PING)《博望坡》 …… 46
412 完顏龍(WAN YAN LONG)《反徐州》 …… 46
413 張國公(ZHANG GUO GONG)《四平山》 …… 46
414 沙謨訶(SHA MO HE)《連營寨》 …… 46
415 藍驍(LAN XIAO)《黑狼山》 …… 47
416 龐涓(PANG JÜAN)《馬陵道》 …… 47
417 胡蘭(HU LAN)《九江口》 …… 47
418 阿忽召(A HU ZHAO)《百花公主》 …… 47
419 鐘離昧(ZHONG LI MEI)《霸王別姬》 …… 47
420 申包胥(SHEN BAO XÜ)《長亭會,錢金福譜》 …… 47
421 馬邈(MA MIAO)《江油關》 …… 47
422 韓昌(HAN CHANG)《楊排風》 …… 47
423 鄧忠(DENG ZHONG)《渡陰平》 …… 47
424 徐盛(XÜ SHENG)《群英會》 …… 48
425 囊瓦(NANG WA)《哭秦庭》 …… 48
426 大校尉(DA XIAO WEI)《五人義》 …… 48
427 蘇烈(SU LIE)《羅成》 …… 48
428 白起(BAI QI)《將相和》 …… 48
429 安祿山(AN LU SHAN)《馬嵬驛》 …… 48
430 鄧芳(DENG FANG)《響馬傳》 …… 48
431 檀道濟(TAN DAO JI)《春秋筆》 …… 48
432 周武(ZHOU WU)《摩天嶺》 …… 48
433 倪榮(NI RONG)《打漁殺家》 …… 49
434 余洪(YÜ HONG)《竹林計》 …… 49
435 周處(ZHOU CHU)《除三害》 …… 49
436 黃龍基(HUANG LONG JI)《霸王莊》 …… 49
437 韓彰(HAN ZHANG)《三俠五義》 …… 49
438 于六(YÜ LIU)《洗浮山》 …… 49
439 郭彥威(GUO YAN WEI)《鳳台關》 …… 49
440 巴拉鐵頭(BA LA TIE TOU)《百花公主》 …… 49
441 索超(SUO CHAO)《大名府》 …… 49
442 杜遷(DU QIAN)《大名府》 …… 50
443 李自通(LI ZI TONG)《四平山》 …… 50
444 龐德(PANG DE)《水淹七軍》 …… 50
445 巴達赫(BA DA HE)《百花公主》 …… 50
446 邢如龍(XING RU LONG)《藏珍樓》 …… 50
447 于禁(YÜ JIN)《群英會》 …… 50
448 濮天鵰(PU TIAN DIAO)《惡虎村》 …… 50
449 二馬快(ER MA KUAI)《嘉興府》 …… 50
450 費德恭(FEI DE GONG)《虮蜡廟》 …… 50
451 周應龍(ZHOU YING LONG)《五人義》 …… 51
452 陳也先(CHEN YE XIAN)《武當山》 …… 51
453 侯七(HOU QI)《河間府》 …… 51

454 蔡瑁(CAI MAO)《群英會》……51
455 郎如豹(LANG RU BAO)《得意緣》……51
456 徐慶(XÜ QING)《藏珍樓》……51
457 李金榮(LI JIN RONG)《狀元印》……51
458 薛剛(XÜE GANG)《鬧花燈》……51
459 二校尉(ER XIAO WEI)《五人義》……51
460 狄雷(DI LEI)《八大鎚》……52
461 呼延慶(HU YAN QING)《金沙灘》……52
462 劉長(LIU CHANG)《淮河營》……52
463 萬雄飛(WAN XIONG FEI)《雲羅山》……52
464 呂蒙(LÜ MENG)《走麥城》……52
465 陳金定(CHEN JIN DING)《馬上緣》……52
466 邢如虎(XING RU HU)《藏珍樓》……52
467 祝虎(ZHU HU)《祝家莊》……52
468 番王(FAN WANG)《金沙灘》……52
469 柳邈(LIU MIAO)《八仙得道》……53
470 單雄信(SHAN XIONG XIN)《鎖五龍》……53
471 楊幺(YANG YAO)《洞庭湖》……53
472 劉唐(LIU TANG)《宋十回》……53
473 鐘無鹽(ZHONG WU YAN)《棋盤會》……53
474 崔龍(CUI LONG)《佘賽花》……53
475 葫蘆大王(HU LU DA WANG)《摩天嶺》……53
476 李鬼(LI GUI)《眞假李逵》……53
477 孟懷源(MENG HUAI YÜAN)《楊門女將》……53
478 也是公主(YE SHI GONG ZHU)《鬧昆陽》……54
479 方臘(FANG LA)《蕩寇志》……54
480 司馬師(SI MA SHI)《紅逼宮,金少山譜》……54
481 司馬師(SI MA SHI)《鐵籠山》……54
482 司馬師(SI MA SHI)《鐵籠山,劉硯亭譜》……54
483 司馬師(SI MA SHI)《鐵籠山》……54
484 魏延(WEI YAN)《戰長沙》……54
485 尉遲寶林(YÜ CHI BAO LIN)《白良關》……54
486 孟良(MENG LIANG)《穆柯寨》……54
487 孟良(MENG LIANG)《雁門關,黃潤甫譜》……55
488 孟良(MENG LIANG)《洪羊洞,何桂山譜》……55
489 孟良(MENG LIANG)《穆柯寨,錢寶峰譜》……55
490 張飛(ZHANG FEI)《金雁橋,三麻子譜》……55
491 張飛(ZHANG FEI)《轅門射戟》……55
492 張飛(ZHANG FEI)《黃鶴樓,錢寶峰譜》……55
493 張飛(ZHANG FEI)《蘆花蕩,錢金福譜》……55
494 張飛(ZHANG FEI)《黃鶴樓,金少山譜》……55
495 張飛(ZHANG FEI)《擒張任,郝壽臣譜》……55
496 張飛(ZHANG FEI)《古城會,侯喜瑞譜》……56
497 張飛(ZHANG FEI)《戰馬超,裘盛戎譜》……56
498 張苞(ZHANG BAO)《造白袍》……56
499 晉鄙(JIN BI)《兵符記》……56

500 徐玠(XÜ JIE)《海瑞罷官》 ……56
501 高旺(GAO WANG)《牧虎關》 ……56
502 李剛(LI GANG)《慶陽圖,錢金福譜》 ……56
503 馬強(MA QIANG)《黄一刀》 ……56
504 焦贊(JIAO ZAN)《穆柯寨》 ……56
505 姚期(YAO QI)《上天台》 ……57
506 姚期(YAO QI)《取洛陽》 ……57
507 姚剛(YAO GANG)《上天台》 ……57
508 姚期(YAO QI)《上天台,金少山譜》 ……57
509 項莊(XIANG ZHUANG)《鴻門宴》 ……57
510 陳友傑(CHEN YOU JIE)《戰太平》 ……57
511 牛通(NIU TONG)《满江紅》 ……57
512 牛皋(NIU GAO)《飛虎夢,錢金福譜》 ……57
513 徐龍(XÜ LONG)《孫安動本》 ……57
514 郝思文(HAO SI WEN)《戰渡口》 ……58
515 廉頗(LIAN PO)《將相和,裘盛戎譜》 ……58
516 郤克(XI KE)《登台笑客》 ……58
517 聞仲(WEN ZHONG)《大回朝》 ……58
518 聞朗(WEN LANG)《九更天》 ……58
519 王甫(WANG FU)《走麥城》 ……58
520 李克用(LI KE YONG)《沙陀國》 ……58
521 李克用(LI KE YONG)《沙陀國,金少山譜》 ……58
522 李克用(LI KE YONG)《珠簾寨,徐寶成譜》 ……58
523 徐延昭(XÜ YAN ZHAO)《二進宮》 ……59
524 黄蓋(HUANG GAI)《群英會》 ……59
525 嚴顏(YAN YAN)《讓成都》 ……59
526 崔子健(CUI ZI JIAN)《佘塘關》 ……59
527 蘇獻(SU XIAN)《取洛陽》 ……59
528 晏嬰(YAN YING)《湘江會》 ……59
529 焦廷貴(JIAO TING GUI)《楊門女將》 ……59
530 廉頗(LIAN PO)《將相和》 ……59
531 郭子儀(GUO ZI YI)《打金枝》 ……59
532 叔梁紇(SHU LIANG HE)《取偪陽》 ……60
533 狄龍康(DI LONG KANG)《得意緣》 ……60
534 李密(LI MI)《斷密澗》 ……60
535 呼延灼(HU YAN ZHUO)《大名府》 ……60
536 宗智明(ZONG ZHI MING)《摘纓會》 ……60
537 武城黑(WU CHENG HE)《戰樊城》 ……60
538 賀天豹(HE TIAN BAO)《連環套》 ……60
539 何其能(HE QI NENG)《百花公主》 ……60
540 周通(ZHOU TONG)《花田八錯》 ……60
541 周倉(ZHOU CANG)《單刀會》 ……61
542 郭槐(GUO HUAI)《鐵籠山》 ……61
543 趙虎(ZHAO HU)《秦香蓮》 ……61
544 牛金(NIU JIN)《取南郡》 ……61
545 惡來(E LAI)《摘星樓》 ……61

546 飛廉(FEI LIAN)《摘星樓》 ……61
547 何路通(HE LU TONG)《連環套》 ……61
548 太史慈(TAI SHI CI)《群英會》 ……61
549 毛玠(MAO JIE)《群英會》 ……61
550 許世英(XÜ SHI YING)《四杰村》 ……62
551 許世英(XÜ SHI YING)《白水灘》 ……62
552 田開疆(TIAN KAI JIANG)《二桃殺三士》 ……62
553 湯隆(TANG LONG)《雁翎甲》 ……62
554 朱溫(ZHU WEN)《太平橋》 ……62
555 楊志(YANG ZHI)《生辰綱》 ……62
556 龍滔(LONG TAO)《藏珍樓》 ……62
557 秦明(QIN MING)《大名府》 ……62
558 夏侯蘭(XIA HOU LAN)《博望坡》 ……62
559 曹洪(CAO HONG)《長坂坡》 ……63
560 劉國楨(LIU GUO ZHEN)《白良關》 ……63
561 焦振遠(JIAO ZHEN YUAN)《劍峰山》 ……63
562 關玲(GUAN LING)《荷葉嶺》 ……63
563 王世充(WANG SHI CHONG)《斷密澗》 ……63
564 肖月(XIAO YÜE)《四杰村》 ……63
565 單達(SHAN DA)《二賢莊》 ……63
566 秦英(QIN YING)《金水橋》 ……63
567 賀天彪(HE TIAN BIAO)《連環套》 ……63
568 郭涌(GUO YONG)《崑崙劍俠傳》 ……64
569 王彥章(WANG YAN ZHANG)《芶家灘》 ……64
570 龍虎帥(LONG HU SHUAI)《五花洞》 ……64
571 童威(TONG WEI)《金鰲島》 ……64
572 申虎(SHEN HU)《銅網陣》 ……64
573 胡大海(HU DA HAI)《狀元印》 ……64
574 張允(ZHANG YUN)《群英會》 ……64
575 許褚(XÜ CHU)《長坂坡》 ……64
576 典韋(DIAN WEI)《戰宛城》 ……64
577 柳蓋(LIU GAI)《棋盤山》 ……65
578 竇一虎(DOU YI HU)《棋盤山》 ……65
579 徐慶(XÜ QING)《三俠五義》 ……65
580 蓋蘇文(GAI SU WEN)《淤泥河》 ……65
581 武天虬(WU TIAN QIU)《惡虎村》 ……65
582 秦尤(QIN YOU)《講堂鬥志》 ……65
583 劉展雄(LIU ZHAN XIONG)《刺王僚》 ……65
584 青面虎(QING MIAN HU)《通天犀,劉奎官譜》 ……65
585 青面虎(QING MIAN HU)《通天犀,劉奎官譜》 ……65
586 夏侯德(XIA HOU DE)《定軍山》 ……66
587 雷橫(LEI HENG)《花田八錯》 ……66
588 費豹(FEI BAO)《昊天關》 ……66
589 鐵勒銀牙(TIE LE YIN YA)《定天山》 ……66
590 鐵勒金牙(TIE LE JIN YA)《定天山》 ……66
591 金兀朮(JIN WU ZHU)《挑滑車》 ……66

592　蔣忠(JIANG ZHONG)《亂石山》……66
593　契丹(QI DAN)《白兔記》……66
594　毛賁(MAO BEN)《五雷陣》……66
595　金蟬子(JIN CHAN ZI)《西遊記》……67
596　昆侖奴(KUN LUN NU)《紅拂傳》……67
597　昆侖奴勒(KUN LUN NU LE)《崑崙劍俠傳》……67
598　單雄信(SHAN XIONG XIN)《鎖五龍》……67
599　謝虎(XIE HU)《鄚州廟》……67
600　姜永志(JIANG YONG ZHI)《花蝴蝶》……67
601　鐵勒銅牙(TIE LE TONG YA)《定天山》……67
602　濮天鵬(PU TIAN PENG)《惡虎村》……67
603　馬清(MA QING)《黄一刀》……67
604　雷英(LEI YING)《銅網陣》……68
605　史丹(SHI DAN)《藏珍樓》……68
606　任正千(REN ZHENG QIAN)《宏碧緣》……68
607　蘇寶童(SU BAO TONG)《盤腸戰》……68
608　達罕(DA HAN)《岳家軍》……68
609　劉猊(LIU NI)《三盜令》……68
610　阮小七(RUAN XIAO QI)《生辰綱》……68
611　呼延贊(HU YAN ZAN)《龍虎鬥》……68
612　蒲魯赫(PU LU HE)《江漢漁歌》……68
613　猴相(HOU XIANG)《棋盤會》……69
614　鄒來泰(ZOU LAI TAI)《樊梨花》……69
615　巴杰(BA JIE)《巴駱和》……69
616　淳于瓊(CHUN YÜ QIONG)《官渡之戰》……69
617　斗黄皇(DOU HUANG HUANG)《清河橋》……69
618　嚴世蕃(YAN SHI FAN)《一棒雪》……69
619　李龍(LI LONG)《贈綈袍》……69
620　劉廷(LIU TING)《秦香蓮》……69
621　侯尚官(HOU SHANG GUAN)《春秋配》……69
622　中軍(ZHONG JUN)《春秋筆》……70
623　馬漢(MA HAN)《鍘美案》……70
624　顏佩韋(YAN PEI WEI)《五人義》……70
625　祝龍(ZHU LONG)《祝家莊》……70
626　張彪(ZHANG BIAO)《楊門女將》……70
627　王飛天(WANG FEI TIAN)《蜈蚣嶺》……70
628　姚廷春(YAO TING CHUN)《四進士》……70
629　草雞大王(CAO JI DA WANG)《巧連環》……70
630　朱燦(ZHU CAN)《南陽關》……70
631　卞意隨(BIAN YI SUI)《太平橋》……71
632　石勒(SHI LE)《綠珠墜樓》……71
633　麻叔謀(MA SHU MOU)《南陽關》……71
634　單于王(SHAN YÜ WANG)《蘇武牧羊》……71
635　米當(MI DANG)《鐵籠山》……71
636　穆洪舉(MU HONG JÜ)《穆柯寨》……71
637　韓天錦(HAN TIAN JIN)《三俠五義》……71

638 黑風利(HEI FENG LI)《挑滑車》……71
639 耶律休哥(YE LÜ XIU GE)《楊排風》……71
640 蕭朝貴(XIAO CHAO GUI)《金田風雷》……72
641 余千(YÜ QIAN)《酸棗嶺》……72
642 南宮牛(NAN GONG NIU)《驅車戰將》……72
643 段景住(DUAN JING ZHU)《曾頭市》……72
644 烏爾韋康(WU ER WEI KANG)《佛手橋》……72
645 伊裏布(YI LI BU)《滿江紅》……72
646 朱亥(ZHU HAI)《兵符記》……72
647 蕭天佐(XIAO TIAN ZUO)《雁門關》……72
648 朱仝(ZHU TONG)《潯陽樓》……72
649 二夫長(ER FU ZHANG)《三盜令》……73
650 胡奎(HU KUI)《三門街》……73
651 大夫長(DA FU ZHANG)《三盜令》……73
652 夏侯淵(XIA HOU YUAN)《定軍山,錢金福譜》……73
653 夏侯淵(XIA HOU YUAN)《冀州城,歪臉》……73
654 先蔑(XIAN MIE)《摘纓會》……73
655 鄭子明(ZHENG ZI MING)《打瓜園,高盛虹譜》……73
656 鄭子明(ZHENG ZI MING)《斬黄袍,歪臉》……73
657 楊延嗣(YANG YAN SI)《明代譜》……73
658 楊延嗣(YANG YAN SI)《金沙灘》……74
659 楊延嗣(YANG YAN SI)《陰送妹,魂子》……74
660 楊延嗣(YANG YAN SI)《陰送妹》……74
661 劉彪(LIU BIAO)《硃砂井》……74
662 于七(YÜ QI)《洗浮山》……74
663 于亮(YÜ LIANG)《落馬湖》……74
664 文醜(WEN CHOU)《白馬坡》……74
665 宣贊(XUAN ZAN)《戰渡口》……74
666 李七(LI QI)《白綾記》……74
667 獬兒(XIE ER)《審刺客》……75
668 穆春(MU CHUN)《祝家莊》……75
669 周潯(ZHOU XUN)《美人魚》……75
670 魯智深(LU ZHI SHEN)《醉打山門,錢金福譜》……75
671 魯智深(LU ZHI SHEN)《醉打山門,何桂仙譜》……75
672 魯智深(LU ZHI SHEN)《野豬林,郝壽臣譜》……75
673 魯智深(LU ZHI SHEN)《野豬林,袁世海譜》……75
674 司馬師(SI MA SHI)《民初譜》……75
675 司馬師(SI MA SHI)《紅逼宮》……75
676 屠岸賈(TU AN GU)《搜孤救孤,郝壽臣譜》……76
677 屠岸賈(TU AN GU)《趙氏孤兒》……76
678 斗越椒(DOU YÜE JIAO)《摘纓會》……76
679 飛鈸禪師(FEI BO CHAN SHI)《天門陣》……76
680 郝文(HAO WEN)《東昌府》……76
681 楊延德(YANG YAN DE)《金沙灘》……76
682 惠明(HUI MING)《下書》……76
683 黑風僧(HEI FENG SENG)《十三妹》……76

684 虎面僧(HU MIAN SENG)《能仁寺》 …… 76
685 銀眼和尚(YIN YAN HE SHANG)《二龍山》 …… 77
686 金眼和尚(JIN YAN HE SHANG)《二龍山》 …… 77
687 惠明(HUI MING)《紅娘》 …… 77
688 知雲僧(ZHI YUN SENG)《紅衣公主》 …… 77
689 黄胖(HUANG PANG)《巴駱和》 …… 77
690 肖安(XIAO AN)《刺巴杰》 …… 77
691 月朗和尚(YUE LANG HE SHANG)《桃花寺》 …… 77
692 法炳(FA BING)《弘門寺》 …… 77
693 法海(FA HAI)《白蛇傳》 …… 77
694 風月和尚(FENG YÜE HE SHANG)《白魚寺》 …… 78
695 法文和尚(FA WEN HE SHANG)《平妖傳》 …… 78
696 蛋子和尚(DAN ZI HE SHANG)《平妖傳》 …… 78
697 王振(WANG ZHEN)《忠孝全，金秀山譜》 …… 78
698 梁九公(LIANG JIU GONG)《連環套》 …… 78
699 劉瑾(LIU JIN)《法門寺》 …… 78
700 周監軍(ZHOU JIAN JUN)《鳳還巢》 …… 78
701 魏忠賢(WEI ZHONG XIAN)《煤山恨》 …… 78
702 伊立(YI LI)《黄金臺》 …… 78
703 曹操(CAO CAO)《捉放曹，成寶峰譜》 …… 79
704 曹操(CAO CAO)《戰宛城，侯喜瑞譜》 …… 79
705 曹操(CAO CAO)《陽平關，郝壽臣譜》 …… 79
706 曹操(CAO CAO)《戰宛城》 …… 79
707 曹操(CAO CAO)《白逼官，錢寶峰譜》 …… 79
708 歐陽芳(OU YANG FANG)《下河東，福小田譜》 …… 79
709 賈化(JIA HUA)《甘露寺》 …… 79
710 郭槐(GOU HUAI)《狸貓換太子》 …… 79
711 中軍(ZHONG JUN)《忠孝全》 …… 79
712 賈似道(JIA SI DAO)《紅梅閣》 …… 80
713 龐吉(PANG JI)《鍘龐吉》 …… 80
714 申公豹(SHEN GONG BAO)《封神榜》 …… 80
715 嚴嵩(YAN SONG)《開山府》 …… 80
716 司馬懿(SI MA YI)《空城計，裘桂仙譜》 …… 80
717 高俅(GAO QIU)《野豬林》 …… 80
718 魏齊(WEI QI)《贈綈袍》 …… 80
719 潘洪(PAN HONG)《清官冊》 …… 80
720 郭榮(GUO RONG)《打金磚》 …… 80
721 秦檜(QIN KUAI)《風波亭》 …… 81
722 秦燦(QIN CAN)《寶蓮燈》 …… 81
723 王強(WANG QIANG)《楊門女將》 …… 81
724 祝朝奉(ZHU CHAO FENG)《祝家莊》 …… 81
725 宋閔公(SONG MIN GONG)《驅車戰將》 …… 81
726 葛登雲(GE DENG YUN)《瓊林宴》 …… 81
727 薩敦(SA DUN)《狀元印》 …… 81
728 孫權(SUN QUAN)《甘露寺》 …… 81
729 丁員外(DING YÜAN WAI)《打漁殺家》 …… 81

730 胡傷(HU SHANG)《將相和》……82
731 姬光(JI GUANG)《哭秦庭》……82
732 董卓(DONG ZHUO)《鳳儀亭》……82
733 阮大鋮(RUAN DA CHENG)《桃花扇》……82
734 李元吉(LI YUAN JI)《羅成》……82
735 都郵(DU YOU)《鞭打都郵》……82
736 華歆(HUA XIN)《逍遙津》……82
737 秦燦(QIN CAN)《寶蓮燈,錢寶峰譜》……82
738 歐陽芳(OU YANG FANG)《下河東》……82
739 張士貴(ZHANG SHI GUI)《獨木關》……83
740 魏虎(WEI HU)《算軍糧》……83
741 張邦昌(ZHANG BANG CHANG)《挑滑車》……83
742 劉豫(LIU YÜ)《三盜令》……83
743 陳友諒(CHEN YOU LIANG)《戰太平》……83
744 王欽若(WANG QIN RUO)《楊門女將》……83
745 趙高(ZHAO GAO)《宇宙鋒》……83
746 任伯玉(REN BO YÜ)《雲羅山》……83
747 張從(ZHANG CONG)《孫安動本》……83
748 鄢懋卿(YEN MAO QING)《大紅袍》……84
749 費無極(FEI WU JI)《戰樊城》……84
750 張泰(ZHANG TAI)《法場換子》……84
751 崇公道(CONG GONG DOA)《女起解》……84
752 伯嚭(BO PI)《吳越春秋》……84
753 齊莊公(QI ZHUANG GONG)《海潮珠》……84
754 邱小義(QIU XIAO YI)《五人義》……84
755 報子(BAO ZI)《界牌關》……84
756 德祿(DE LU)《御碑亭》……84
757 金松(JIN SONG)《紅鸞禧》……85
758 史文(SHI WEN)《鐵弓緣》……85
759 金祥瑞(JIN XIANG RUI)《失印救火》……85
760 杜保(DU BAO)《金錢豹》……85
761 王伯燕(WANG BO YAN)《三盜九龍杯》……85
762 二百五(ER BAI WU)《大劈棺》……85
763 賈桂(JIA GUI)《法門寺》……85
764 了空(LIAO KONG)《祥梅寺》……85
765 哈密蚩(HA MI CHI)《路安州》……85
766 沈延林(SHEN YAN LIN)《玉堂春》……86
767 張文遠(ZHANG WEN YUAN)《烏龍院》……86
768 高世德(GAO SHI DE)《野豬林》……86
769 老皂吏(LAO ZAO LI)《小上墳》……86
770 老皂吏(LAO ZAO LI)《小上墳》……86
771 劉祿景(LIU LU JING)《小上 》……86
772 夏侯恩(XIA HOU EN)《長坂坡》……86
773 湯勤(TANG QIN)《一捧雪》……86
774 蔣幹(JIANG GAN)《群英會》……86
775 婁阿鼠(LOU A SHU)《十五貫》……87

776 時遷(SHI QIAN)《巧連環》 ······ 87
777 朱光祖(ZU GUANG ZU)《連環套》 ······ 87
778 賈明(JIA MING)《三俠劍》 ······ 87
779 崔八(CUI BA)《絨花計》 ······ 87
780 書童(SHU TONG)《盜銀壺,張金樑譜》 ······ 87
781 薛霸(XUE BA)《野豬林》 ······ 87
782 王書吏(WANG SHU LI)《打麵缸》 ······ 87
783 胡羅鍋(HU LUO GUO)《下河南》 ······ 87
784 豬變小姐(ZHU BIAN XIAO JIE)《金錢豹》 ······ 88
785 夏侯傑(XIA HOU JIE)《長坂坡》 ······ 88
786 驛卒(YI ZU)《春秋筆》 ······ 88
787 王英(WANG YING)《扈家莊》 ······ 88
788 張華(ZHANG HUA)《銅網陣》 ······ 88
789 房書安(FANG SHU AN)《藏珍樓》 ······ 88
790 地葫蘆(DI HU LU)《五人義》 ······ 88
791 徐良(XÜ LIANG)《藏珍樓》 ······ 88
792 胡理(HU LI)《巴駱和》 ······ 88
793 張文遠(ZHANG WEN YUAN)《活捉三郎》 ······ 89
794 張文遠(ZHANG WEN YUAN)《活捉三郎》 ······ 89
795 施不全(SHI BU QÜAN)《三搜府》 ······ 89
796 朱彪(ZHU BIAO)《四杰村》 ······ 89
797 白先生(BAI XIAN SHENG)《瞎子逛燈》 ······ 89
798 徐大漢(XÜ DA HAN)《過霸州》 ······ 89
799 白眼狼(BAI YAN LANG)《十三妹》 ······ 89
800 傻小子(SHA XIAO ZI)《探親家》 ······ 89
801 窗户凳(CHUANG HU DENG)《荷珠配》 ······ 89
802 后羿(HOU YI)《嫦娥奔月》 ······ 90
803 吳剛(WU GANG)《嫦娥奔月》 ······ 90
804 金烏(JIN WU)《天香慶節》 ······ 90
805 敖丙(AO BING)《陳塘關》 ······ 90
806 紂王(ZHOU WANG)《封神榜》 ······ 90
807 崇侯虎(CHONG YOU HU)《進妲己》 ······ 90
808 崇黑虎(CHONG HEI HU)《進妲己》 ······ 90
809 陸壓(LU YA)《黃河陣》 ······ 90
810 高覺(GAO JUE)《梅花嶺》 ······ 90
811 高明(GAO MING)《梅花嶺》 ······ 91
812 余化(YÜ HUA)《反五關》 ······ 91
813 敖順(AO SHUN)《陳塘關》 ······ 91
814 陶榮(TAO RONG)《絕龍嶺》 ······ 91
815 周幽王(ZHOU YOU WANG)《烽火台》 ······ 91
816 惠南王(HUI NAN WANG)《伐子都》 ······ 91
817 晉獻公(JIN XIAN GONG)《蜜蜂計》 ······ 91
818 唐狡(TANG JIAO)《摘纓會》 ······ 91
819 柳展雄(LIU ZHAN XIONG)《臨潼會》 ······ 91
820 楊德勝(YANG DE SHENG)《荒山淚》 ······ 92
821 崔杼(CUI ZHU)《海潮珠》 ······ 92

822 秦哀公(QIN AI GONG)《哭秦庭》 …… 92
823 智伯(ZHI BO)《豫讓橋》 …… 92
824 公孫捷(GONG SUN JIE)《二桃殺三士》 …… 92
825 古冶子(GU YE ZI)《二桃殺三士》 …… 92
826 毛賁(MAO BEN)《五雷陣》 …… 92
827 西門豹(XI MEN BAO)《河伯娶婦》 …… 92
828 王翦(WANG JIAN)《五雷陣》 …… 92
829 陳金定(CHEN JIN DING)《馬上緣》 …… 93
830 齊宣公(QI XUAN GONG)《湘江會》 …… 93
831 白猿(BAI YUAN)《棋盤會》 …… 93
832 白起(BAI QI)《黄金台》 …… 93
833 秦王稷(QIN WANG JI)《將相和》 …… 93
834 魏安釐王(WEI AN LI WANG)《竊兵符》 …… 93
835 樊噲(FAN KUAI)《鴻門宴》 …… 93
836 項伯(XIANG BO)《鴻門宴》 …… 93
837 王陵(WANG LING)《黄金印》 …… 93
838 曹參(CAO CAN)《九里山》 …… 94
839 周蘭(ZHOU LAN)《九里山》 …… 94
840 呂馬通(LÜ MA TONG)《九里山》 …… 94
841 彭越(PENG YÜE)《九里山》 …… 94
842 呼韓邪(HU HAN XIE)《漢明妃》 …… 94
843 毛延壽(MAO YAN SHOU)《漢明妃》 …… 94
844 胡克丹(HU KE DAN)《蘇武牧羊》 …… 94
845 壼衍鞮(KUN YAN TI)《蘇武牧羊》 …… 94
846 單于(SHAN YÜ)《蘇武牧羊》 …… 94
847 雷叙(LEI XIÜ)《取洛陽》 …… 95
848 王元(WANG YÜAN)《取洛陽》 …… 95
849 耿弇(GENG YAN)《鬧昆陽》 …… 95
850 耿虎(GENG HU)《鬧昆陽》 …… 95
851 巨無霸(JÜ WU BA)《收邳彤》 …… 95
852 司馬昭(SI MA ZHAO)《取南郡》 …… 95
853 許貢(XÜ GONG)《斬于吉》 …… 95
854 鞠義(JÜ YI)《磐河戰》 …… 95
855 秦琪(QIN QI)《過五關》 …… 95
856 蔡陽(CAI YANG)《古城會》 …… 96
857 孔秀(KONG XIU)《過五關》 …… 96
858 孟坦(MENG TAN)《過五關》 …… 96
859 韓福(HAN FU)《過五關》 …… 96
860 卞喜(BIAN XI)《過五關》 …… 96
861 王植(WANG ZHI)《過五關》 …… 96
862 張允(ZHANG YUN)《群英會》 …… 96
863 黄信(HUANG XIN)《瓦礫場》 …… 96
864 郎天印(LANG TIAN YIN)《珍珠烈火旗》 …… 96
865 夏侯惇(XIA HOU DUN)《長坂坡》 …… 97
866 蔣欽(JIANG QIN)《回荊州》 …… 97
867 鄧艾(DENG AI)《堰山谷》 …… 97

868 陳武(CHEN WU)《三江口》…97
869 韓當(HAN DANG)《走麥城》…97
870 孟達(MENG DA)《走麥城》…97
871 韓德(HAN DE)《鳳鳴關》…97
872 秦朗(QIN LANG)《斬鄭文》…97
873 李元霸(LI YUAN BA)《四平山》…97
874 史龍(SHI LONG)《粉宮樓》…98
875 杜曾(DU ZENG)《荀灌娘》…98
876 周舫(ZHOU FANG)《荀灌娘》…98
877 石勒(SHI LE)《桑園寄子》…98
878 楊廣(YANG GUANG)《南陽關》…98
879 蔣門神(JIANG MEN SHEN)《快活林》…98
880 伍保(WU BAO)《南陽關》…98
881 來護(LAI HU)《賈家樓》…98
882 童環(TONG HUAN)《賈家樓》…98
883 魯明星(LU MING XING)《賈家樓》…99
884 伯顏(BO YAN)《正氣歌》…99
885 伍天錫(WU TIAN XI)《車輪戰》…99
886 裴元慶(PEI YUAN QING)《絕虎嶺》…99
887 黃壯(HUANG ZHUANG)《御果園》…99
888 常何(CHANG HE)《畫龍點睛》…99
889 賀道安(HE DAO AN)《粉宮樓》…99
890 李庭芝(LI TING ZHI)《正氣歌》…99
891 紅慢慢(HONG MAN MAN)《摩天嶺》…99
892 猩猩膽(XING XING DAN)《摩天嶺》…100
893 鄧萬川(DENG WAN CHUAN)《三俠五義》…100
894 展虎(ZHAN HU)《選元戎》…100
895 鄧車(DENG CHE)《花蝴蝶》…100
896 樊龍(FAN LONG)《馬上緣》…100
897 樊虎(FAN HU)《馬上緣》…100
898 天慶王(TIAN QING WANG)《雙龍會》…100
899 張天佐(ZHANG TIAN ZUO)《鬧花燈》…100
900 張天佑(ZHANG TIAN YOU)《鬧花燈》…100
901 程鐵牛(CHENG TIE NIU)《九錫宮》…101
902 武三思(WU SAN SI)《謝瑤環》…101
903 來俊臣(LAI JÜN CHEN)《謝瑤環》…101
904 沈謙(SHEN QIAN)《粉妝樓》…101
905 朱虎(ZHU HU)《揚州擂》…101
906 朱彪(ZHU BIAO)《揚州擂》…101
907 朱豹(ZHU BAO)《揚州擂》…101
908 朱龍(ZHU LONG)《揚州擂》…101
909 廖龍(LIAO LONG)《四傑村》…101
910 廖虎(LIAO HU)《四傑村》…102
911 廖彪(LIAO BIAO)《四傑村》…102
912 廖豹(LIAO BAO)《四傑村》…102
913 巴蘭(BA LAN)《百花公主》…102

914 黄衫客(HUANG SHAN KE)《霍小玉》……102
915 孫飛虎(SUN FEI HU)《西廂記》……102
916 楊子琳(YANG ZI LIN)《浣花溪》……102
917 阿瑪兆壽(A MA ZHAO SHOU)《惜猩猩》……102
918 李存信(LI CUN XIN)《飛虎山》……103
919 劉裕(LIU YÜ)《下河東》……103
920 白龍太子(BAI LONG TAI ZI)《下河東》……103
921 馮茂(FENG MAO)《桃花陣》……103
922 楊延定(YANG YAN DING)《雙龍會》……103
923 楊延光(YANG YAN GUANG)《雙龍會》……103
924 楊延德(YANG YAN DE)《五台山》……103
925 耶律休哥(YE LÜ XIU GE)《金沙灘》……103
926 巴若裏(BA RUO LI)《狀元媒》……103
927 傅龍(FU LONG)《狀元媒》……103
928 潘豹(PAN BAO)《天齊廟》……104
929 蕭天佐(XIAO TIAN ZUO)《天門陣》……104
930 蕭天佑(XIAO TIAN YOU)《天門陣》……104
931 烏龍道人(WU LONG DAO REN)《天門陣》……104
932 柴干(CHAI GAN)《打韓昌》……104
933 白天佐(BAI TIAN ZUO)《戰洪州》……104
934 龐煜(PANG YÜ)《呼延慶打擂》……104
935 孟強(MENG QIANG)《呼延慶打擂》……104
936 馬龍(MA LONG)《山海關》……104
937 焦玉(JIAO YÜ)《呼延慶打擂》……105
938 王倫(WANG LUN)《穆桂英掛帥》……105
939 葛瑤明(GE YAO MING)《臥虎溝》……105
940 沙龍(SHA LONG)《臥虎溝》……105
941 東方明(DONG FANG MING)《藏珍樓》……105
942 趙珏(ZHAO JÜE)《銅網陣》……105
943 張天龍(ZHANG TIAN LONG)《雙沙河》……105
944 鄧飛(DENG FEI)《祝家莊》……105
945 李袞(LI GUN)《大名府》……105
946 樊瑞(FAN RUI)《大名府》……106
947 項充(XIANG CHONG)《大名府》……106
948 任原(REN YÜAN)《神州擂》……106
949 雲天彪(YUN TIAN BIAO)《九陽鐘》……106
950 費保(FEI BAO)《昊天關》……106
951 趙玉(ZHAO YÜ)《昊天關》……106
952 文天祥(WEN TIAN XIANG)《三盡忠》……106
953 童貫(TONG GUAN)《黨人碑》……106
954 柴桂(CHAI GUI)《求賢鑒》……106
955 郭藥師(GUO YAO SHI)《玉玲瓏》……107
956 張奎(ZHANG KUI)《挑滑車》……107
957 黑風力(HEI FENG LI)《挑滑車》……107
958 圖須龍(TU XÜ LONG)《挑滑車》……107
959 圖須虎(TU XÜ HU)《挑滑車》……107

960 金光德照(JIN GUANG DE ZHAO)《挑滑車》……107
961 金光普照(JIN GUANG PU ZHAO)《挑滑車》……107
962 雪裏花豹(XUE LI HUA BAO)《岳家莊》……107
963 張兆奴(ZHANG ZHAO NU)《岳家莊》……107
964 嚴成方(YAN CHENG FANG)《八大錘》……108
965 何元慶(HE YÜAN QING)《八大錘》……108
966 狄雷(DI LEI)《八大錘》……108
967 趙斌(ZHAO BIN)《濟公傳》……108
968 楊明(YANG MING)《濟公傳》……108
969 雷鳴(LEI MING)《濟公傳》……108
970 法源(FA YÜAN)《濟公傳》……108
971 廖螢(LIAO YING)《紅梅閣》……108
972 明玉珍(MING YÜ ZHEN)《狀元印》……108
973 趙普勝(ZHAO PU SHENG)《戰太平》……109
974 紂王(ZHOU WANG)《摘星樓》……109
975 夫差(FU CHAI)《吳越春秋》……109
976 徐海(XÜ HAI)《大紅袍》……109
977 趙匡胤(ZHAO KUANG YIN)《斬黃袍》……109
978 顧瀆(GU DU)《四進士》……109
979 盧林(LÜ LIN)《蝴蝶杯》……109
980 蔣旺(JIANG WANG)《溪皇莊》……109
981 馬凱(MA KAI)《永慶昇平》……109
982 齊頃公(QI QING GONG)《登臺笑客》……110
983 姬僚(JI LIAO)《魚藏劍》……110
984 武萬年(WU WAN NIAN)《蓮花湖》……110
985 吳太山(WU TAI SHAN)《畫春圖》……110
986 秦昭襄王(QIN ZHAO XIANG WANG)《將相和》……110
987 濮大勇(PU DA YONG)《英雄會》……110
988 米龍(MI LONG)《八蜡廟》……110
989 竇虎(DOU HU)《八蜡廟》……110
990 張天師(ZHANG TIAN SHI)《五花洞》……110
991 假天師(JIA TIAN SHI)《五花洞》……111
992 黃巢(HUANG CHAO)《祥梅寺》……111
993 虎婆(HU PO)《同命鳥》……111
994 楊香武(YANG XIANG WU)《講堂鬥志〉……111
995 楊香武(YANG XIANG WU)《九龍杯〉……111
996 程咬金(CHENG YAO JIN)《賈家樓》……111
997 程咬金(CHENG YAO JIN)《選元戎》……111
998 李克用(LI KE YONG)《沙陀國,穆鳳山譜》……111
999 李克用(LI KE YONG)《珠簾寨老生扮》……111

粉墨千秋

甲子夏 齊嘯雲書

臉譜擷英

李洪春題

時年八十有二

1 孫悟空《安天會，楊月樓譜》
（ SUN WU KONG ）

2 孫悟空《安天會，楊小樓譜》
（ SUN WU KONG ）

3 孫悟空《安天會，李少春譜》
（ SUN WU KONG ）

4 孫悟空《姚喜成譜》
（ SUN WU KONG ）

5 孫悟空《鄭法祥譜》
（ SUN WU KONG ）

6 孫悟空《張翼鵬譜》
（ SUN WU KONG ）

7 孫悟空《福壽三多》
（ SUN WU KONG ）

8 孫悟空《郝振基譜》
（ SUN WU KONG ）

9 孫悟空《安天會，李萬春譜》
（ SUN WU KONG ）

10 馬天君《安天會》
(MA TIAN JUN)

11 趙天君《安天會》
(ZHAO TIAN JUN)

12 溫天君《安天會》
(WEN TIAN JUN)

13 劉天君《安天會》
(LIU TIAN JUN)

14 東斗星君《安天會》
(DONG DOU XING JUN)

15 西斗星君《安天會》
(XI DOU XING JUN)

16 南斗星君《安天會》
(NAN DOU XING JUN)

17 北斗星君《安天會》
(BEI DOU XING JUN)

18 靈官《安天會》
(LING GUAN)

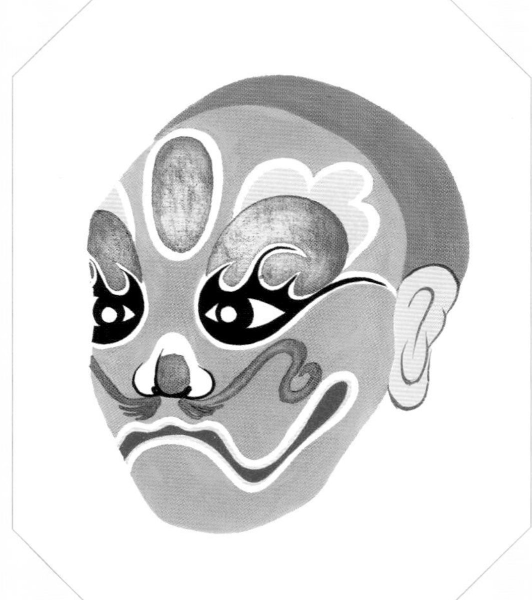

19 青龍《安天會》
(QING LONG)

20 白虎《安天會》
(BAI HU)

21 羅猴星《安天會》
(LOU HOU XING)

22 計都星《安天會》
(JI DU XING)

23 天罡《安天會》
(TIAN GANG)

24 地煞《安天會》
(DI SHA)

25 吊客《安天會》
(DIAO KE)

26 喪門《安天會》
(SANG MEN)

27 雷神《安天會》
(LEI SHEN)

28 降龍羅漢
《諾詎羅尊者──十八羅漢收大鵬》
（ XIANG LONG LUO HAN ）

29 伏虎羅漢《注荼半托迦尊者──十八羅漢收大鵬》
（ FU HU LUO HAN ）

30 金光羅漢《迦諾迦跋釐隋闍尊者──十八羅漢收大鵬》
（ JIN GUANG LUO HAN ）

31 銀光羅漢《那伽摩那尊者──十八羅漢收大鵬》
（ YIN GUANG LUO HAN ）

32 永睡羅漢《因揭陀尊者──十八羅漢收大鵬》
（ YONG SHUI LUO HAN ）

33 沉醉羅漢《蘇頻陀尊者──十八羅漢收大鵬》
（ CHEN ZUI LUO HAN ）

34 長臂羅漢《阿氏多尊者──十八羅漢收大鵬》
（ CHANG BI LUO HAN ）

35 長眉羅漢《伐闍羅弗多羅尊者──十八羅漢收大鵬》
（ CHANG MEI LUO HAN ）

36 護法羅漢《伐那波斯尊者──十八羅漢收大鵬》
（ HU FA LUO HAN ）

37 守壇羅漢《慶有應眞尊者—十八羅漢收大鵬》
（SHOU TAN LUO HAN）

38 肥胖羅漢《迦諾迦伐蹉尊者—十八羅漢收大鵬》
（FEI PANG LUO HAN）

39 枯瘦羅漢《迦哩迦尊者—十八羅漢收大鵬》
（KU SHOU LUO HAN）

40 體高羅漢《羅怙羅尊者—十八羅漢收大鵬》
（TI GAO LUO HAN）

41 體矮羅漢《賓頭盧尊者—十八羅漢收大鵬》
（TI AI LUO HAN）

42 六合羅漢《跋陀羅尊者—十八羅漢收大鵬》
（LIU HE LUO HAN）

43 獻佛羅漢《半托迦尊者—十八羅漢收大鵬》
（XIAN FO LUO HAN）

44 先知羅漢《戍博迦尊者—十八羅漢收大鵬》
（XIAN ZHI LUO HAN）

45 赤腳羅漢《賓度羅跋囉隋闍尊者—十八羅漢收大鵬》
（CHI JIAO LUO HAN）

46 亢金龍《混元盒》
（ KANG JIN LONG ）

47 尾火虎《混元盒》
（ WEI HUO HU ）

48 奎木狼《混元盒》
（ KUI MU LANG ）

49 箕水豹《混元盒》
（ JI SHUI BAO ）

50 牛金牛《混元盒》
(NIU JIN NIU)

51 角木蛟《混元盒》
（ JUE MU JIAO ）

52 婁金狗《混元盒》
（ LOU JIN GOU ）

53 室火豬《混元盒》
（ SHI HUO ZHU ）

54 昴日雞《混元盒》
（ MAO RI JI ）

55 畢月烏《混元盒》
（ BI YUE WU ）

56 嘴火猴《混元盒》
（ ZUI HUO HOU ）

57 軫水蚓《混元盒》
（ ZHEN SHUI YIN ）

58 虛日鼠《混元盒》
（ XU RI SHU ）

59 女土蝠《混元盒》
（ NU TU FU ）

60 蜈蚣精《混元盒》
（ WU GONG JING ）

61 壁虎精《混元盒》
（ BI HU JING ）

62 蛤蟆精《混元盒》
（ HA MA JING ）

63 蝎子精《混元盒》
（ XIE ZI JING ）

64 牛金牛《混元盒》
(NIU JIN NIU)

65 鬼金羊《混元盒》
(GUI JIN YANG)

66 斗木獬《混元盒》
(DOU MU XIE)

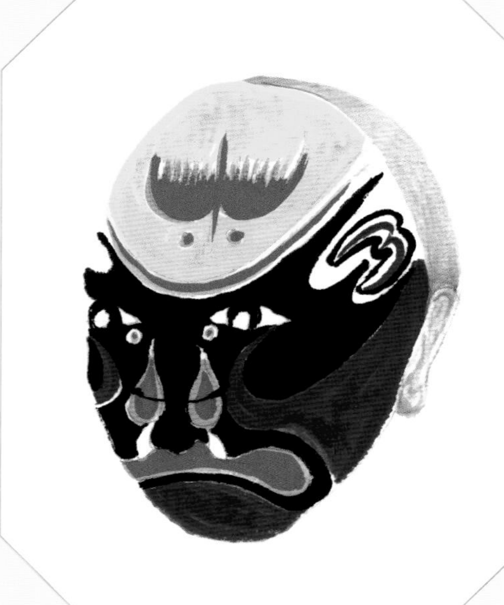

67 井木犴《混元盒》
(JING MU AN)

68 壁水貐《混元盒》
(BI SHUI YU)

69 參水猿《混元盒》
(SHEN SHUI YUAN)

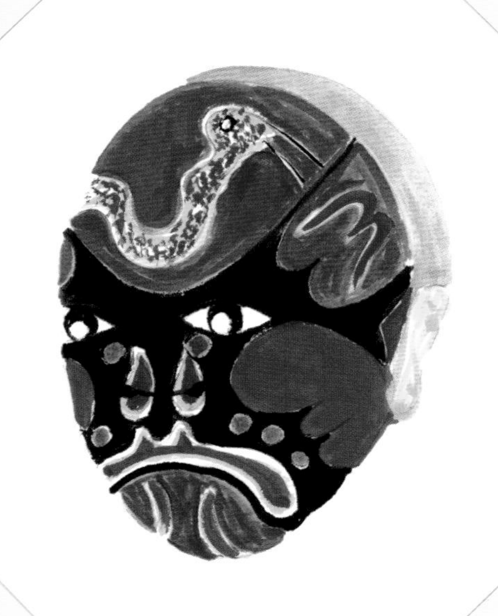

70 翼火蛇《混元盒》
(YI HUO SHE)

71 柳土獐《混元盒》
(LIU TU ZHANG)

72 胃土雉《混元盒》
(WEI TU ZHI)

73 氐土貉《混元盒》
（DI TU HAO）

74 房日兔《混元盒》
（FANG RI TU）

75 星日馬《混元盒》
（XING RI MA）

76 心月狐《混元盒》
（XIN YUE HU）

77 張月鹿《混元盒》
（ZHANG YUE LU）

78 章馬大《合缽》
（ZHANG MA DA）

79 混世魔王《水簾洞》
（HUN SHI MO WANG）

80 崔鈺《遊地府》
（CUI YÜ）

81 巨靈神《鬧天宮》
（JÜ LING SHEN）

82 黃龍真人《三進碧遊宮》
(HUANG LONG ZHEN REN)

83 猧狨王《水簾洞》
(WO RONG WANG)

84 李鐵拐《蟠桃會》
(LI TIE GUAI)

85 青石精《混元盒》
(QING SHI JING)

86 白石怪《混元盒》
(BAI SHI GUAI)

87 黑狐精《混元盒》
(HEI HU JING)

88 白狐精《混元盒》
(BAI HU JING)

89 花判《九蓮燈，錢金福譜》
(HUA PAN)

90 大判《九蓮燈，何桂山譜》
(DA PAN)

91 花判《九蓮燈，侯益隆譜》
（ HUA PAN ）

92 鍾馗《嫁妹》
（ ZHONG KUI ）

93 五殿判官《九蓮燈》
（ WU DIAN PAN GUAN ）

94 火判《九蓮燈》
（ HUO PAN ）

95 陰陽判官《九蓮燈》
（ YIN YANG PAN GUAN ）

96 水判《九蓮燈》
（ SHUI PAN ）

97 福判《九蓮燈》
（ FU PAN ）

98 醫判《九蓮燈》
（ YI PAN ）

99 秦廣王《一殿閻君》
（ QIN GUANG WANG ）

100 楚江王《二殿閻君》
(CHU JIANG WANG)

101 宋帝王《三殿閻君》
(SONG DI WANG)

102 仵官王《四殿閻君》
(WU GUAN WANG)

103 閻羅王《五殿閻君》
(YAN LUO WANG)

104 平等王《六殿閻君》
(PING DENG WANG)

105 泰山王《七殿閻君》
(TAI SHAN WANG)

106 都市王《八殿閻君》
(DU SHI WANG)

107 六城王《九殿閻君》
(LIU CHENG WANG)

108 轉輪王《十殿閻君》
(ZHUAN LUN WANG)

109 東海龍王《水簾洞》
(DONG HAI LONG WANG)

110 西海龍王《水簾洞》
(XI HAI LONG WANG)

111 南海龍王《水簾洞》
(NAN HAI LONG WANG)

112 北海龍王《水簾洞》
(BEI HAI LONG WANG)

113 王八精《水簾洞》
(WANG BA JING)

114 蝦米精《水簾洞》
(XIA MI JING)

115 牛魔王《水簾洞》
(NIU MO WANG)

116 獅駝王《水簾洞》
(SHI TUO WANG)

117 梅花王《水簾洞》
(MEI HUA WANG)

118 象農王《水簾洞》
(XIANG NONG WANG)

119 狡魔王《水簾洞》
(JIAO MO WANG)

120 金錢王《水簾洞》
(JIN QIAN WANG)

121 魔禮青《佳夢關》
(MO LI QING)

122 魔禮紅《佳夢關》
(MO LI HONG)

123 魔禮海《佳夢關》
(MO LI HAI)

124 魔禮壽《佳夢關》
(MO LO SHOU)

125 鄭倫《青龍關》
(ZHENG LUN)

126 陳奇《青龍關》
(CHEN QI)

127 李靖《安天會》
(LI JING)

128 楊戩《安天會》
(YANG JIAN)

129 巨靈神《安天會》
(JÜ LING SHEN)

130 急如火《火雲洞》
(JI RU HUO)

131 快如風《火雲洞》
(KUAI RU FENG)

132 雲裏霧《火雲洞》
(YUN LI WU)

133 霧裏雲《火雲洞》
(WU LI YUN)

134 哮天犬《安天會》
(XIAO TIAN QUAN)

135 明如月《火雲洞》
(MING RU YÜE)

136 朗如星《火雲洞》
（ LANG RU XING ）

137 急如火《火雲洞》
（ JI RU HUO ）

138 快如風《火雲洞》
（ KUAI RU FENG ）

139 袁洪《收梅山七怪》
（ YUAN HONG ）

140 朱子真《收梅山七怪》
（ ZHU ZI ZHEN ）

141 楊顯《收梅山七怪》
（ YANG XIAN ）

142 戴禮《收梅山七怪》
（ DAI LI ）

143 吳龍《收梅山七怪》
（ WU LONG ）

144 金大升《收梅山七怪》
（ JING DA SHENG ）

145 常昊《收梅山七怪》
（ CHANG HAO ）

146 鱔魚精《混元盒》
（ SHAN YU JING ）

147 蚌精《混元盒》
（ BANG JING ）

148 通天教主《三進碧遊宮》
（ TONG TIAN JIAO ZHU ）

149 元始天尊《三進碧遊宮》
（ YUAN SHI TIAN ZUN ）

150 如來佛《三進碧遊宮》
（ RU LAI FO ）

151 赤精子《乾元山》
（ CHI JING ZI ）

152 廣成子《乾元山》
（ GUANG CHENG ZI ）

153 太乙真人《乾元山》
（ TAI YI ZHEN REN ）

154 道德眞君《三進碧遊宮》
（DAO DE ZHEN JUN）

155 靈寶法師《三進碧遊宮》
（LING BAO FA SHI）

156 雲中子《乾元山》
（YUN ZHONG ZI）

157 姜尚《摘星樓》
（JIANG SHANG）

158 龍須虎《三進碧遊宮》
（LONG XU HU）

159 雷震子《三進碧遊宮》
（LEI ZHEN ZI）

160 土行孫《三進碧遊宮》
（TU XING SUN）

161 金吒《封神榜》
（JIN ZHA）

163 木吒《封神榜》
（MU ZHA）

163 靈牙大仙《十絕陣》
（LING YA DA XIAN）

164 蝤首大仙《三進碧遊宮》
（QIU SHOU DA XIAN）

165 金光大仙《封神榜》
（JIN GUANG DA XIAN）

166 姚少司《十絕陣》
（YAO SHAO SI）

167 陳九公《十絕陣》
（CHEN JIU GONG）

168 蕭升《十絕陣》
（XIAO SHENG）

169 曹寶《十絕陣》
（CAO BAO）

170 張奎《封神榜》
（ZHANG KUI）

171 呂岳《封神榜》
（LÜ YUE）

172 蚯蚓《青龍關》
(QIU YIN)

173 殷郊《封神榜》
(YIN JIAO)

174 馬元《封神榜》
(MA YUAN)

175 金眼豹《百草山》
(JIN YAN BAO)

176 孔雀《百草山》
(KONG QUE)

177 白鸚鵡《百草山》
(BAI YING WU)

178 白龍《哪吒鬧海》
(BAI LONG)

179 柳仙《蟠桃會》
(LIU XIAN)

180 黃毛童《蟠桃會》
(HUANG MAO TONG)

181 梟神《萬獸陣》
(XIAO SHEN)

182 穿山甲《萬獸陣》
(CHUAN SHAN JIA)

183 蜘蛛精《萬獸陣》
(ZHI ZHU JING)

184 煞神《打棍出箱》
(SHA SHEN)

185 金牛星《天河配》
(JIN NIU XING)

186 鵲神《天河配》
(QUE SHEN)

187 財神《財源輻輳》
(CAI SHEN)

188 瑞香花神《牡丹亭》
(RUI XIANG HUA SHEN)

189 雷祖《天雷報》
(LEI ZU)

190 火德星君《梅玉配》
（ HUO DE XING JUN ）

191 歪臉靈官《五靈官》
（ WAI LIAN LING GUAN ）

192 老靈官《五靈官》
（ LAO LING GUAN ）

193 金角大仙《西遊記》
（ JIN JIAO DA XIAN ）

194 銀角大仙《西遊記》
（ YIN JIAO DA XIAN ）

195 金錢豹《金錢豹》
（ JIN QIAN BAO ）

196 貓神《無底洞》
（ MAO SHEN ）

197 鼠精《無底洞》
（ SHU JING ）

198 解脫大王《小行者力挑十二塹》（ JIE TUO DA WANG ）

199 黑孩兒《小行者力挑十二堑》(HEI HAI ER)

200 沙悟淨《流沙河》(SHA WU JING)

201 豬八戒《金錢豹》(ZHU BA JIE)

202 長耳大仙《嫦娥奔月》(CHANG ER DA XIAN)

203 玉帝《鬧天宮》(YÜ DI)

204 丑龍王《混元盒》(CHOU LONG WANG)

205 張道陵《混元盒》(ZHANG DAO LING)

206 大鵬金翅鳥《十八羅漢收大鵬》(DA PENG JINC CHI NIAO)

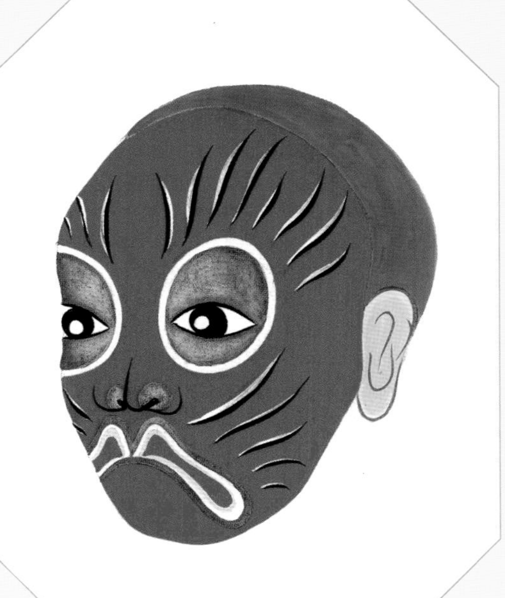
207 赤兔《天香慶節》(CHI TU)

208 伽藍《林冲夜奔》
（QIE LAN）

209 周倉《青石山》
（ZHOU CANG）

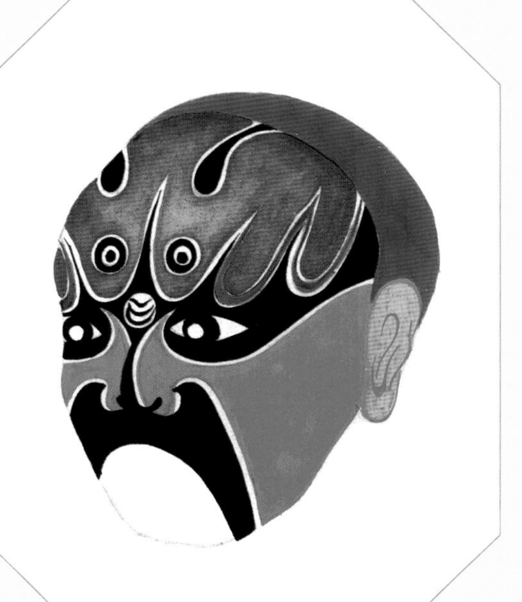

210 龕瓤子《青石山》
（KAN RANG ZI）

211 白眼神魔《三進碧遊宮》
（BAI YAN SHEN MO）

212 鹿童《盜仙草》
（LU TONG）

213 鶴童《盜仙草》
（HAO TONG）

214 墨猴《安天會》
（MO HOU）

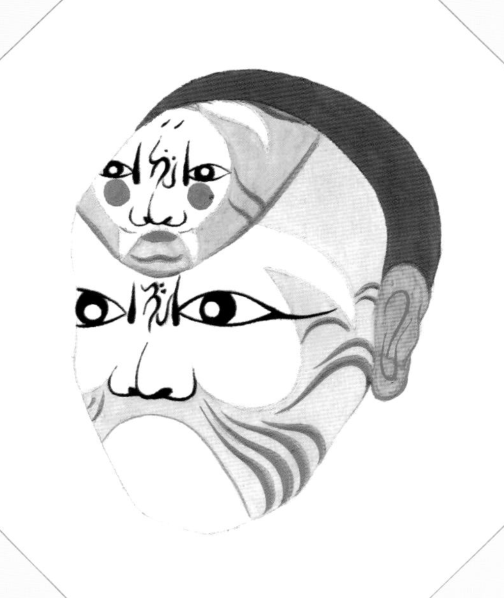

215 土地《安天會》
（TU DI）

216 塔神《雷峰塔》
（TA SHEN）

217 皂王《紫荊樹》
(ZAO WANG)

218 長耳定光仙《三進碧遊宮》
(CHANG ER DING GUANGXIAN)

219 金甲神《白蛇傳》
(JIN JIA SHEN)

220 火將《御石填海》
(HUO JIANG)

221 火將《御石填海》
(HOU JIANG)

222 青背龍君《御石填海》
(QING BEI LONG JUN)

223 火將《御石填海》
(HUO JIANG)

224 火將《御石填海》
(HUO JIANG)

225 鯿將《御石填海》
(BIAN JIANG)

226 蚌精《廉錦楓》
(BANG JING)

227 龜將《盂蘭會》
(GUI JIANG)

228 巨靈子《混元盒》
(JÜ LING ZI)

229 大鬼《盂蘭會》
(DA GUI)

230 魑鬼《盂蘭會》
(CHI GUI)

231 魅鬼《盂蘭會》
(MEI GUI)

232 魍鬼《盂蘭會》
(WANG GUI)

233 魎鬼《盂蘭會》
(LIANG GUI)

234 油流鬼《探陰山》
(YOU LIU GUI)

235 五路都鬼《盂蘭會》
（ WU LU DU GUI ）

236 財魔《盂蘭會》
（ CAI MO ）

237 鬼王《遊六殿》
（ GUI WANG ）

238 關羽《明代譜》
（ GUAN YU ）

239 關羽《清代譜》
（ GUAN YU ）

240 關羽《古城會，王鳳卿譜》
（ GUAN YU ）

241 關羽《過五關，李洪春譜》
（ GUAN YU ）

242 關羽《白馬坡，白家麟譜》
（ GUAN YU ）

243 包拯《明朝譜》
（ BAO ZHENG ）

244 包拯《探陰山，金少山譜》
（ BAO ZHENG ）

245 包拯《鍘美案，裘盛戎譜》
（ BAO ZHENG ）

246 包拯《打龍袍，王泉奎譜》
（ BAO ZHENG ）

247 吳漢《斬經堂》
（ WU HAN ）

248 關太《連環套》
（ GUAN TAI ）

249 關太《連環套》
（ GUAN TAI ）

250 關勝《戰渡口》
（ GUAN SHENG ）

251 潁考叔《伐子都》
（ YING KAO SHU ）

252 吳起《湘江會》
（ WU QI ）

253 巴永泰《連環套》
（ BA YONG TAI ）

254 紀靈《轅門射戟》
（ JI LING ）

255 鄂順《摘星會》
（ E SHUN ）

256 申尹戍《哭秦庭》
（ SHEN YIN SHU ）

257 涂寧《林冲夜奔》
（ XU NING ）

258 姜敘《冀州城》
（ JIANG XÜ ）

259 姜維《鐵籠山》
（ JIANG WEI ）

260 赤福壽《取金陵》
（ CHI FU SHOU ）

261 荆軻《荆軻傳》
（ JING KE ）

262 郭廣清《反涂州》
(GUO GUANG QING)

263 曹仁《長坂坡》
(CAO REN)

264 周德威《珠簾寨》
(ZHOU DE WEI)

265 傅豹《將相和》
(FU BAO)

266 高干《官渡之戰》
(GAO GAN)

267 鄭文《戰北原》
(ZHENG WEN)

268 檀道濟《春秋筆》
(TAN DAO JI)

269 李亞子《五侯宴》
(LI YA ZI)

270 魏琦《連環陣》
(WEI QI)

271 張龍《鍘美案》
（ZHANG LONG ）

272 蔡福《大名府》
（ CAI FU ）

273 涂晃《長坂坡》
（ XÜ HUANG ）

274 周泰《連營寨》
（ ZHOU TAI ）

275 楊阜《冀州城》
（ YANG FU ）

276 孟和祥《五侯宴》
（MENG HE XIANG）

277 須賈《贈綈袍》
（ XÜ JIA ）

278 淳于導《金鎖陣》
（CHUN YÜ DAO）

279 夏副將《白水灘》
（ XIA FU JIANG ）

280 李仁《硃痕記》
（LI REN）

281 李典《金鎖陣》
（LI DIAN）

282 安殿寶《獨木關》
（AN DIAN BAO）

283 賀天龍《連環套》
（HE TIAN LONG）

284 王棟《淮安府》
（WANG DONG）

285 王文《楊門女將》
（WANG WEN）

286 羅四虎《獨虎營》
（LUO SI HU）

287 李虎《刺虎》
（LI HU）

288 花德雷《溪皇莊》
（HUA DE LEI）

289 曹登龍《黑旋風》
(CAO DENG LONG)

290 武文華《武文華》
(WU WEN HUA)

291 楊鏞《滿江紅》
(YANG YONG)

292 高登《艷陽樓，俞振庭譜》
(GAO DENG)

293 高登《艷陽樓，尚和玉譜》
(GAO DENG)

294 高登《艷陽樓，孫毓堃譜》
(GAO DENG)

295 高登《艷陽樓》
(GAO DENG)

296 審配《官渡之戰》
(SHEN PEI)

297 宋萬《林冲夜奔》
(SONG WAN)

298 謝廷芳《雛鳳凌空》
(XIE TING FANG)

299 祝彪《三打祝家莊》
(ZHU BIAO)

300 嚴年《周仁獻嫂》
(YAN NIAN)

301 涂亮《響馬傳》
(XU LIANG)

302 王倫《雛鳳凌空》
(WANG LUN)

303 大馬快《嘉興府》
(DA MA KUAI)

304 魏王《兵符記》
(WEI WANG)

305 樂進《長坂坡》
(YUE JIN)

306 襄陽王《銅網陣》
(XIANG YANG WANG)

307 劉武周《四平山》
(LIU WU ZHOU)

308 宇文成都《南陽關》
(YU WEN CHENG DU)

309 拓拔安頡《春秋筆》
(TUO BA AN XIE)

310 張郃《長坂坡》
(ZHANG HE)

311 夏侯霸《鐵籠山》
(XIA HOU BA)

312 杜襲《陽平關》
(DU XI)

313 文聘《長坂坡》
(WEN PIN)

314 顏良《白馬坡》
(YAN LIANG)

315 潘璋《玉泉山》
(PAN ZHANG)

316 歐陽春《七俠五義》
(OU YANG CHUN)

317 龐統《耒陽縣》
(PANG TONG)

318 王通《趙家樓》
(WANG TONG)

319 周紀《摘星樓》
(ZHOU JI)

320 常遇春《狀元印》
(CHANG YÜ CHUN)

321 東方清《藏珍樓》
(DONG FANG QING)

322 尤俊達《打登州》
(YOU JÜN DA)

323 王朝《鍘美案》
(WANG CHAO)

324 專諸《魚藏劍》
(ZHUAN ZHU)

325 魏文通《麒麟閣》
(WEI WEN TONG)

326 呂祿《十老安劉》
(LÜ LU)

327 欒廷玉《祝家莊》
(LUAN TING YU)

328 烏裏赫《蘆花河》
(WU LI HE)

329 孟覺海《雅觀樓》
(MENG JÜE HAI)

330 鄭環《八大錘》
(ZHENG HUAN)

331 袁紹《斬華雄》
(YUAN SHAO)

332 周苓《十五貫》
(ZHOU QIN)

333 公孫勝《黃泥崗》
(GONG SUN SHENG)

334 李左車《淮河營》
(LI ZUO CHE)

335 花振芳《宏碧緣》
(HUA ZHEN FANG)

336 盧芳《三俠五義》
(LU FANG)

337 魏絳《八義圖》
(WEI JIANG)

338 李俊《大名府》
(LI JÜN)

339 黃三太《李家店》
(HUANG SAN TAI)

340 惠南王《伐子都》
(HUI NAN WANG)

341 鮑賜安《溪皇莊》
(BAO CI AN)

342 鄧振彪《弓硯緣》
(DENG ZHEN BIAO)

343 楊林《響馬傳》
(YANG LIN)

344 張定邊《九江口》
(ZHANG DING BIAN)

345 蔡慶《溪皇莊》
(CAI QING)

346 蔡陽《古城會》
(CAI YANG)

347 竇建德《四平山》
(DOU JIAN DE)

348 丁奉《迴荊州》
(DING FENG)

349 項伯《鴻門宴》
(XIANG BO)

350 薛應龍《講堂門志》
(XUE YING LONG)

351 白彥陀《狀元印》
(BAI YAN TUO)

352 荀林父《連環陣》
(XUN LIN FU)

353 殷洪《殷家堡》
(YIN HONG)

354 鐵木耳《采石磯》
(TIE MU ER)

355 東方亮《藏珍樓》
(DONG FANG LIANG)

356 晁蓋《一箭仇》
(CHAO GAI)

357 樊洪《樊江關》
(FAN HONG)

358 李佩《落馬湖》
(LI PEI)

359 廖奇冲《四杰村》
(LIAO QI CHONG)

360 呂產《十老安劉》
(LÜ CHAN)

361 敖唐《同命鳥》
（ AO TANG ）

362 武成《三盜九龍杯》
（ WU CHENG ）

363 李逵《清風寨，金少山譜》
（ LI KUI ）

364 李逵《清代譜》
（ LI KUI ）

365 李逵《清風寨，黃潤甫譜》
（ LI KUI ）

366 李逵《丁甲山，郝壽臣譜》
（ LI KUI ）

367 李逵《清風寨，侯喜瑞譜》
（ LI KUI ）

368 李逵《清風寨，金少山譜》
（ LI KUI ）

369 馬謖《失街亭，錢金福譜》
（ MA SU ）

370 馬謖《失街亭，金少山譜》
(MA SU)

371 馬謖《失街亭，郝壽臣譜》
(MA SU)

372 馬謖《失街亭，侯喜瑞譜》
(MA SU)

373 竇爾墩《李家店，涂寶成譜》
(DOU ER DUN)

374 竇爾墩《李家店，錢金福譜》
(DOU ER DUN)

375 竇爾墩《連環套，郝壽臣譜》
(DOU ER DUN)

376 竇爾墩《連環套，金少山譜》
(DOU ER DUN)

377 竇爾墩《連環套，袁世海譜》
(DOU ER DUN)

378 竇爾墩《連環套，裘盛戎譜》
(DOU ER DUN)

379 竇爾墩《連環套，侯喜瑞譜》
(DOU ER DUN)

380 馬武《光緒年譜》
(MA WU)

381 馬武《取洛陽》
(MA WU)

382 馬武《明代譜》
(MA WU)

383 馬武《清代昇平署譜》
(MA WU)

384 馬武《咸豐年譜》
(MA WU)

385 馬武《同治年譜》
(MA WU)

386 尉遲敬德《明代譜》
(YÜ CHI JING DE)

387 尉遲敬德《清代譜》
(YÜ CHI JING DE)

388 尉遲敬德《遻二鐧，清代譜》
（YÜ CHI JING DE）

389 尉遲敬德《民初譜》
（ YÜ CHI JING DE ）

390 尉遲敬德《御果園》
（ YÜ CHI JING DE ）

391 項羽《清代譜》
（ XIANG YÜ ）

392 項羽《取滎陽，清代譜》
（ XIANG YÜ ）

393 項羽《霸王別姬》
（ XIANG YÜ ）

394 項羽《霸王別姬，楊小樓譜》
（ XIANG YÜ ）

395 華雄《斬華雄》
（ HUA XIONG ）

396 孟獲《七擒孟獲》
（ MENG HUO ）

397 柳遲《火燒紅蓮寺》
(LIU CHI)

398 石鑄《盜金蟾》
(SHI ZHU)

399 熊闊海《千斤閘》
(XIONG KUO HAI)

400 辛文禮《虹霓關》
(XIN WEN LI)

401 蔣忠《快活林》
(JIANG ZHONG)

402 張順《大名府》
(ZHANG SHUN)

403 任彥龍《雲羅山》
(REN YAN LONG)

404 柳旺《藏珍樓》
(LIU WANG)

405 賀天虎《連環套》
(HE TIAN HU)

406 王班超《盤腸戰》
(WANG BAN CHAO)

407 薛賢徒《獨木關》
(XUE XIAN TU)

408 蔡天化《淮安府》
(CAI TIAN HUA)

409 魏定國《水火將軍》
(WEI DING GUO)

410 楊藩《姑嫂英雄》
(YANG FAN)

411 關平《博望坡》
(GUAN PING)

412 完顏龍《反涂州》
(WAN YAN LONG)

413 張國公《四平山》
(ZHANG GUO GONG)

414 沙謨訶《連營寨》
(SHA MO HE)

415 藍驍《黑狠山》
（ LAN XIAO ）

416 龐涓《馬陵道》
（ PANG JÜAN ）

417 胡蘭《九江口》
（ HU LAN ）

418 阿忽名《百花公主》
（ A HU ZHAO ）

419 鐘離昧《霸王別姬》
（ ZHONG LI MEI ）

420 申包胥《長亭會，錢金福譜》
（SHEN BAO XÜ）

421 馬邈《江油關》
（ MA MIAO ）

422 韓昌《楊排風》
（ HAN CHANG ）

423 鄧忠《渡陰平》
（ DENG ZHONG ）

424 涂盛《群英會》
(XÜ SHENG)

425 囊瓦《哭秦庭》
(NANG WA)

426 大校尉《五人義》
(DA XIAO WEI)

427 蘇烈《羅成》
(SU LIE)

428 白起《將相和》
(BAI QI)

429 安祿山《馬嵬驛》
(AN LU SHAN)

430 鄧芳《響馬傳》
(DENG FANG)

431 檀道濟《春秋筆》
(TAN DAO JI)

432 周武《摩天嶺》
(ZHOU WU)

433 倪榮《打漁殺家》
(NI RONG)

434 余洪《竹林計》
(YÜ HONG)

435 周處《除三害》
(ZHOU CHU)

436 黄龍基《霸王莊》
(HUANG LONG JI)

437 韓彰《三俠五義》
(HAN ZHANG)

438 于六《洗浮山》
(YU LIU)

439 郭彥威《鳳台關》
(GUO YAN WEI)

440 巴拉鐵頭《百花公主》
(BA LA TIE TOU)

441 索超《大名府》
(SUO CHAO)

442 杜遷《大名府》
（ DU QIAN ）

443 李自通《四平山》
（ LI ZI TONG ）

444 龐德《水淹七軍》
（ PANG DE ）

445 巴達赫《百花公主》
（ BA DA HE ）

446 邢如龍《藏珍樓》
（ XING RU LONG ）

447 于禁《群英會》
（ YÜ JIN ）

448 濮天鵰《惡虎村》
（ PU TIAN DIAO ）

449 二馬快《嘉興府》
（ ER MA KUAI ）

450 費德恭《八蜡廟》
（ FEI DE GONG ）

451 周應龍《五人義》
（ZHOU YING LONG）

452 陳也先《武當山》
（CHEN YE XIAN）

453 侯七《河間府》
（HOU QI）

454 蔡瑁《群英會》
（CAI MAO）

455 郎如豹《浔意緣》
（LANG RU BAO）

456 涂慶《藏珍樓》
（XÜ QING）

457 李金榮《狀元印》
（LI JIN RONG）

458 薛剛《鬧花燈》
（XÜE GANG）

459 二校尉《五人義》
（ER XIAO WEI）

460 狄雷《八大錘》
（ DI LEI ）

461 呼延慶《金沙灘》
（ HU YAN QING ）

462 劉長《淮河營》
（ LIU CHANG ）

463 萬雄飛《雲羅山》
（ WAN XIONG FEI ）

464 呂蒙《走麥城》
（ LÜ MENG ）

465 陳金定《馬上緣》
（ CHEN JIN DING ）

466 邢如虎《藏珍樓》
（ XING RU HU ）

467 祝虎《祝家莊》
（ ZHU HU ）

468 番王《金沙灘》
（ FAN WANG ）

469 柳邈《八仙得道》
（LIU MIAO）

470 單雄信《鎖五龍》
（SHAN XIONG XIN）

471 楊幺《洞庭湖》
（YANG YAO）

472 劉唐《宋十回》
（LIU TANG）

473 鐘無鹽《棋盤會》
（ZHONG WU YAN）

474 崔龍《佘賽花》
（CUI LONG）

475 葫蘆大王《摩天嶺》
（HU LU DA WANG）

476 李鬼《真假李逵》
（LI GUI）

477 孟懷源《楊門女將》
（MENG HUAI YÜAN）

478 也是公主《鬧昆陽》
（ YE SHI GONG ZHU ）

479 方臘《蕩寇志》
（ FANG LA ）

480 司馬師《紅逼宮，金少山譜》
（ SI MA SHI ）

481 司馬師《鐵籠山》
（ SI MA SHI ）

482 司馬師《鐵籠山，劉硯亭譜》
（ SI MA SHI ）

483 司馬師《鐵籠山》
（ SI MA SHI ）

484 魏延《戰長沙》
（ WEI YAN ）

485 尉遲寶林《白良關》
（ YU CHI BAO LIN ）

486 孟良《穆柯寨》
（ MENG LIANG ）

487 孟良《雁門關，黃潤甫譜》
（MENG LIANG）

488 孟良《洪羊洞，何桂山譜》
（MENG LIANG）

489 孟良《穆柯寨，錢寶峰譜》
（MENG LIANG）

490 張飛《金雁橋，三麻子譜》
（ZHANG FEI）

491 張飛《轅門射戟》
（ZHANG FEI）

492 張飛《黃鶴樓，錢寶峰譜》
（ZHANG FEI）

493 張飛《蘆花蕩，錢金福譜》
（ZHANG FEI）

494 張飛《黃鶴樓，金少山譜》
（ZHANG FEI）

495 張飛《擒張任，郝壽臣譜》
（ZHANG FEI）

496 張飛《古城會，侯喜瑞譜》
(ZHANG FEI)

497 張飛《戰馬超，裘盛戎譜》
(ZHANG FEI)

498 張苞《造白袍》
(ZHANG BAO)

499 晉鄙《兵符記》
(JIN BI)

500 涂玠《海瑞罷官》
(XÜ JIE)

501 高旺《牧虎關》
(GAO WANG)

502 李剛《慶陽圖，錢金福譜》
(LI GANG)

503 馬强《黃一刀》
(MA QIANG)

504 焦贊《穆柯寨》
(JIAO ZAN)

505 姚期《上天台》
（ YAO QI ）

506 姚期《取洛陽》
（ YAO QI ）

507 姚剛《上天台》
（ YAO GANG ）

508 姚期《上天台，金少山譜》
（ YAO QI ）

509 項莊《鴻門宴》
（ XIANG ZHUANG ）

510 陳友傑《戰太平》
（ CHEN YOU JIE ）

511 牛通《滿江紅》
（ NIU TONG ）

512 牛皋《飛虎夢，錢金福譜》
（ NIU GAO ）

513 涂龍《孫安動本》
（ XÜ LONG ）

514 郝思文《戰渡口》
（ HAO SI WEN ）

515 廉頗《將相和，裘盛戎譜》
（ LIAN PO ）

516 郤克《登台笑客》
（ XI KE ）

517 聞仲《大回朝》
（ WEN ZHONG ）

518 聞朗《九更天》
（ WEN LANG ）

519 王甫《走麥城》
（ WANG FU ）

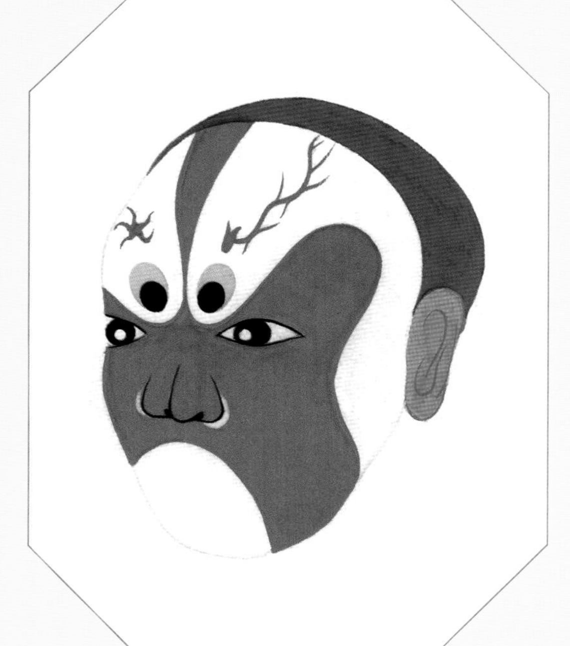

520 李克用《沙陀國》
（ LI KE YONG ）

521 李克用《沙陀國，金少山譜》
（ LI KE YONG ）

522 李克用《珠簾寨，涂寶成譜》
（ LI KE YONG ）

523 涂延昭《二進宮》
（ XÜ YAN ZHAO ）

524 黃蓋《群英會》
（ HUANG GAI ）

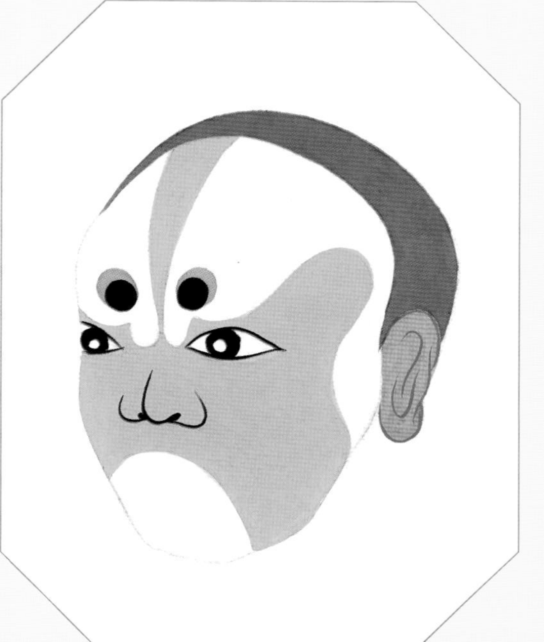

525 嚴顏《讓成都》
（ YAN YAN ）

526 崔子健《佘塘關》
（ CUI ZI JIAN ）

527 蘇獻《取洛陽》
（ SU XIAN ）

528 晏嬰《湘江會》
（ YAN YING ）

529 焦廷貴《楊門女將》
（ JIAO TING GUI ）

530 廉頗《將相和》
（ LIAN PO ）

531 郭子儀《打金枝》
（ GUO ZI YI ）

532 叔梁紇《取偪陽》
（ SHU LIANG HE ）

533 狄龍康《淂意緣》
（ DI LONG KANG ）

534 李密《斷密澗》
（ LI MI ）

535 呼延灼《大名府》
（ HU YAN ZHUO ）

536 宗智明《摘纓會》
（ ZONG ZHI MING ）

537 武城黑《戰樊城》
（ WU CHENG HE ）

538 賀天豹《連環套》
（ HE TIAN BAO ）

539 何其能《百花公主》
（ HE QI NENG ）

540 周通《花田八錯》
（ ZHOU TONG ）

541 周倉《單刀會》
(ZHOU CANG)

542 郭槐《鐵籠山》
(GUO HUAI)

543 趙虎《秦香蓮》
(ZHAO HU)

544 牛金《取南郡》
(NIU JIN)

545 惡來《摘星樓》
(E LAI)

546 飛廉《摘星樓》
(FEI LIAN)

547 何路通《連環套》
(HE LU TONG)

548 太史慈《群英會》
(TAI SHI CI)

549 毛玠《群英會》
(MAO JIE)

550 許世英《四杰村》
（ XÜ SHI YING ）

551 許世英《白水灘》
（ XÜ SHI YING ）

552 田開疆《二桃殺三士》
（ TIAN KAI JIANG ）

553 湯隆《雁翎甲》
（ TANG LONG ）

554 朱溫《太平橋》
（ ZHU WEN ）

555 楊志《生辰綱》
（ YANG ZHI ）

556 龍滔《藏珍樓》
（ LONG TAO ）

557 秦明《大名府》
（ QIN MING ）

558 夏侯蘭《博望坡》
（ XIA HOU LAN ）

559 曹洪《長坂坡》
(CAO HONG)

560 劉國楨《白良關》
(LIU GUO ZHEN)

561 焦振遠《劍峰山》
(JIAO ZHEN YUAN)

562 關玲《荷葉嶺》
(GUAN LING)

563 王世充《斷密澗》
(WANG SHI CHONG)

564 肖月《四杰村》
(XIAO YÜE)

565 單達《二賢莊》
(SHAN DA)

566 秦英《金水橋》
(QIN YING)

567 賀天彪《連環套》
(HE TIAN BIAO)

568 郭涌《崑崙劍俠傳》
（GUO YONG）

569 王彥章《苟家灘》
（WANG YAN ZHANG）

570 龍虎帥《五花洞》
（LONG HU SHUAI）

571 童威《金鰲島》
（TONG WEI）

572 申虎《銅網陣》
（SHEN HU）

573 胡大海《狀元印》
（HU DA HAI）

574 張允《群英會》
（ZHANG YUN）

575 許褚《長坂坡》
（XÜ CHU）

576 典韋《戰宛城》
（DIAN WEI）

577 柳蓋《棋盤山》
（ LIU GAI ）

578 竇一虎《棋盤山》
（ DOU YI HU ）

579 涂慶《三俠五義》
（ XÜ QING ）

580 蓋蘇文《淤泥河》
（ GAI SU WEN ）

581 武天虬《惡虎村》
（ WU TIAN QIU ）

582 秦尤《講堂鬥志》
（ QIN YOU ）

583 劉展雄《刺王僚》
（ LIU ZHAN XIONG ）

584 青面虎《通天犀，劉奎官譜》
（ QING MIAN HU ）

585 青面虎《通天犀，劉奎官譜》
（ QING MIAN HU ）

586 夏侯德《定軍山》
(XIA HOU DE)

587 雷横《花田八錯》
(LEI HENG)

588 費豹《昊天關》
(FEI BAO)

589 鐵勒銀牙《定天山》
(TIE LE YIN YA)

590 鐵勒金牙《定天山》
(TIE LE JIN YA)

591 金兀朮《挑滑車》
(JIN WU ZHU)

592 蔣忠《亂石山》
(JIANG ZHONG)

593 契丹《白兔記》
(QI DAN)

594 毛賁《五雷陣》
(MAO BEN)

595 金蟬子《西遊記》
(JIN CHAN ZI)

596 昆侖奴《紅拂傳》
(KUN LUN NU)

597 昆侖奴勒《崑崙劍俠傳》
(KUN LUN NU LE)

598 單雄信《鎖五龍》
(SHAN XIONG XIN)

599 謝虎《鄚州廟》
(XIE HU)

600 姜永志《花蝴蝶》
(JIANG YONG ZHI)

601 鐵勒銅牙《定天山》
(TIE LE TONG YA)

602 濮天鵬《惡虎村》
(PU TIAN PENG)

603 馬清《黃一刀》
(MA QING)

604 雷英《銅網陣》
（ LEI YING ）

605 史丹《藏珍樓》
（ SHI DAN ）

606 任正千《宏碧緣》
（ REN ZHENG QIAN ）

607 蘇寶童《盤腸戰》
（ SU BAO TONG ）

608 達罕《岳家軍》
（ DA HAN ）

609 劉猊《三盜令》
（ LIU NI ）

610 阮小七《生辰綱》
（ RUAN XIAO QI ）

611 呼延贊《龍虎門》
（ HU YAN ZAN ）

612 蒲魯赫《江漢漁歌》
（ PU LU HE ）

613 猴相《棋盤會》
(HOU XIANG)

614 鄒來泰《樊梨花》
(ZOU LAI TAI)

615 巴杰《巴駱和》
(BA JIE)

616 淳于瓊《官渡之戰》
(CHUN YÜ QIONG)

617 斗黃皇《清河橋》
(DOU HUANG HUANG)

618 嚴世蕃《一棒雪》
(YAN SHI FAN)

619 李龍《贈綈袍》
(LI LONG)

620 劉廷《秦香蓮》
(LIU TING)

621 侯尚官《春秋配》
(HOU SHANG GUAN)

622 中軍《春秋筆》
（ZHONG JUN）

623 馬漢《鍘美案》
（MA HAN）

624 顏佩韋《五人義》
（YAN PEI WEI）

625 祝龍《祝家莊》
（ZHU LONG）

626 張彪《楊門女將》
（ZHANG BIAO）

627 王飛天《蜈蚣嶺》
（WANG FEI TIAN）

628 姚廷春《四進士》
（YAO TING CHUN）

629 草雞大王《巧連環》
（CAO JI DA WANG）

630 朱燦《南陽關》
（ZHU CAN）

631 卞意隨《太平橋》
(BIAN YI SUI)

632 石勒《綠珠墜樓》
(SHI LE)

633 麻叔謀《南陽關》
(MA SHU MOU)

634 單于王《蘇武牧羊》
(SHAN YÜ WANG)

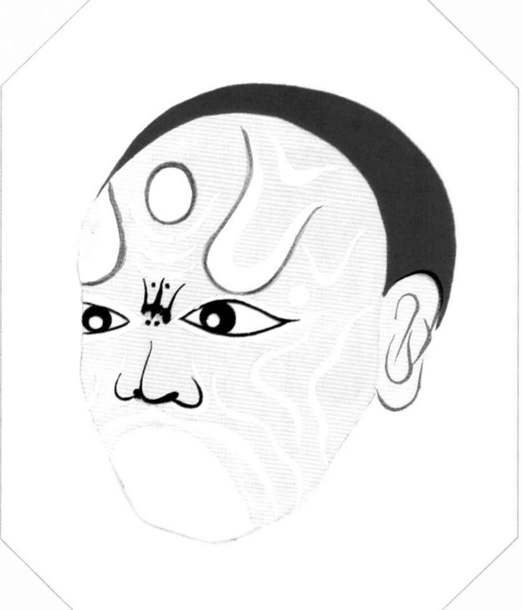

635 米當《鐵籠山》
(MI DANG)

636 穆洪舉《穆柯寨》
(MU HONG JÜ)

637 韓天錦《三俠五義》
(HAN TIAN JIN)

638 黑風利《挑滑車》
(HEI FENG LI)

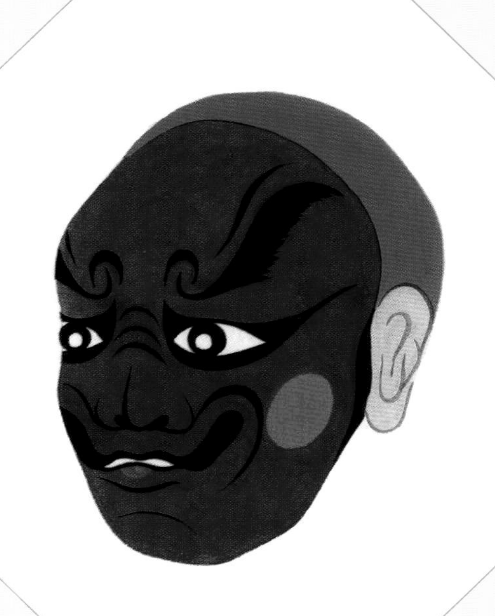

639 耶律休哥《楊排風》
(YE LÜ XIU GE)

640 蕭朝貴《金田風雷》
（ XIAO CHAO GUI ）

641 余千《酸棗嶺》
（ YÜ QIAN ）

642 南宮牛《驅車戰將》
（ NAN GONG NIU ）

643 段景住《曾頭市》
（ DUAN JING ZHU ）

644 烏爾韋康《佛手橘》
（ WU ER WEI KANG ）

645 伊裏布《滿江紅》
（ YI LI BU ）

646 朱亥《兵符記》
（ ZHU HAI ）

647 蕭天佐《雁門關》
（ XIAO TIAN ZUO ）

648 朱仝《潯陽樓》
（ ZHU TONG ）

649 二夫長《三盜令》
（ ER FU ZHANG ）

650 胡奎《三門街》
（ HU KUI ）

651 大夫長《三盜令》
（ DA FU ZHANG ）

652 夏侯淵《定軍山，錢金福譜》
（ XIA HOU YUAN ）

653 夏侯淵《冀州城，歪臉》
（ XIA HOU YUAN ）

654 先蔑《摘纓會》
（ XIAN MIE ）

655 鄭子明《打瓜園，高盛虹譜》
（ ZHENG ZI MING ）

656 鄭子明《斬黃袍，歪臉》
（ ZHENG ZI MING ）

657 楊延嗣《明代譜》
（ YANG YAN SI ）

658 楊延嗣《金沙灘》
(YANG YAN SI)

659 楊延嗣《陰送妹，魂子》
(YANG YAN SI)

660 楊延嗣《陰送妹》
(YANG YAN SI)

661 劉彪《硃砂井》
(LIU BIAO)

662 于七《洗浮山》
(YÜ QI)

663 于亮《落馬湖》
(YÜ LIANG)

664 文醜《白馬坡》
(WEN CHOU)

665 宣贊《戰渡口》
(XUAN ZAN)

666 李七《白綾記》
(LI QI)

667 獬兒《審刺客》
(XIE ER)

668 穆春《祝家莊》
(MU CHUN)

669 周潯《美人魚》
(ZHOU XUN)

670 魯智深《醉打山門，錢金福譜》(LU ZHI SHEN)

671 魯智深《醉打山門，何桂仙譜》(LU ZHI SHEN)

672 魯智深《野豬林，郝壽臣譜》
(LU ZHI SHEN)

673 魯智深《野豬林，袁世海譜》
(LU ZHI SHEN)

674 司馬師《民初譜》
(SI MA SHI)

675 司馬師《紅逼宮》
(SI MA SHI)

676 屠岸賈《搜孤救孤，郝壽臣譜》（ TU AN GU ）

677 屠岸賈《趙氏孤兒》（ TU AN GU ）

678 斗越椒《摘纓會》（ DOU YÜE JIAO ）

679 飛鈸禪師《天門陣》（ FEI BO CHAN SHI ）

680 郝文《東昌府》（ HAO WEN ）

681 楊延德《金沙灘》（ YANG YAN DE ）

682 惠明《下書》（ HUI MING ）

683 黑風僧《十三妹》（ HEI FENG SENG ）

684 虎面僧《能仁寺》（ HU MIAN SENG ）

685 銀眼和尚《二龍山》
(YIN YAN HE SHANG)

686 金眼和尚《二龍山》
(JIN YAN HE SHANG)

687 惠明《紅娘》
(HUI MING)

688 知雲僧《紅衣公主》
(ZHI YUN SENG)

689 黃胖《巴駱和》
(HUANG PANG)

690 肖安《刺巴杰》
(XIAO AN)

691 月朗和尚《桃花寺》
(YUE LANG HE SHANG)

692 法炳《弘門寺》
(FA BING)

693 法海《白蛇傳》
(FA HAI)

694 風月和尚《白魚寺》
（FENG YÜE HE SHANG）

695 法文和尚《平妖傳》
（FA WEN HE SHANG）

696 蛋子和尚《平妖傳》
（DAN ZI HE SHANG）

697 王振《忠孝全，金秀山譜》
（WANG ZHEN）

698 梁九公《連環套》
（LIANG JIU GONG）

699 劉瑾《法門寺》
（LIU JIN）

700 周監軍《鳳還巢》
（ZHOU JIAN JUN）

701 魏忠賢《煤山恨》
（WEI ZHONG XIAN）

702 伊立《黃金臺》
（YI LI）

703 曹操《捉放曹，成寶峰譜》
（ CAO CAO ）

704 曹操《戰宛城，侯喜瑞譜》
（ CAO CAO ）

705 曹操《陽平關，郝壽臣譜》
（ CAO CAO ）

706 曹操《戰宛城》
（ CAO CAO ）

707 曹操《白逼宮，錢寶峰譜》
（ CAO CAO ）

708 歐陽芳《下河東，福小田譜》
（ OU YANG FANG ）

709 賈化《甘露寺》
（ JIA HUA ）

710 郭槐《狸貓換太子》
（ GOU HUAI ）

711 中軍《忠孝全》
（ ZHONG JUN ）

712 賈似道《紅梅閣》
（ JIA SI DAO ）

713 龐吉《鍘龐吉》
（ PANG JI ）

714 申公豹《封神榜》
（ SHEN GONG BAO ）

715 嚴嵩《開山府》
（ YAN SONG ）

716 司馬懿《空城計，表桂仙譜》
（ SI MA YI ）

717 高俅《野豬林》
（ GAO QIU ）

718 魏齊《贈綈袍》
（ WEI QI ）

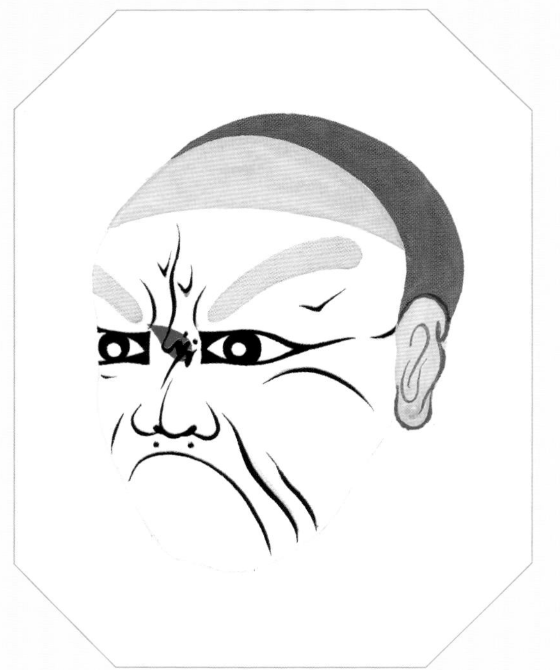

719 潘洪《清官冊》
（ PAN HONG ）

720 郭榮《打金磚》
（ GUO RONG ）

721 秦檜《風波亭》
(QIN KUAI)

722 秦燦《寶蓮燈》
(QIN CAN)

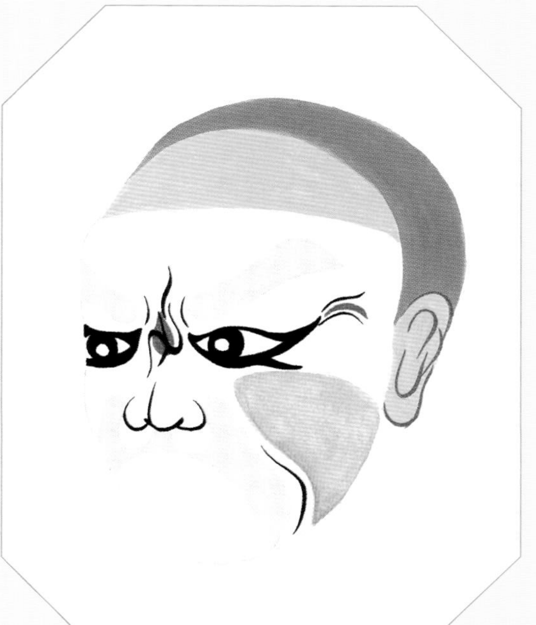

723 王强《楊門女將》
(WANG QIANG)

724 祝朝奉《祝家莊》
(ZHU CHAO FENG)

725 宋閔公《驅車戰將》
(SONG MIN GONG)

726 葛登雲《瓊林宴》
(GE DENG YUN)

727 薩敦《狀元印》
(SA DUN)

728 孫權《甘露寺》
(SUN QUAN)

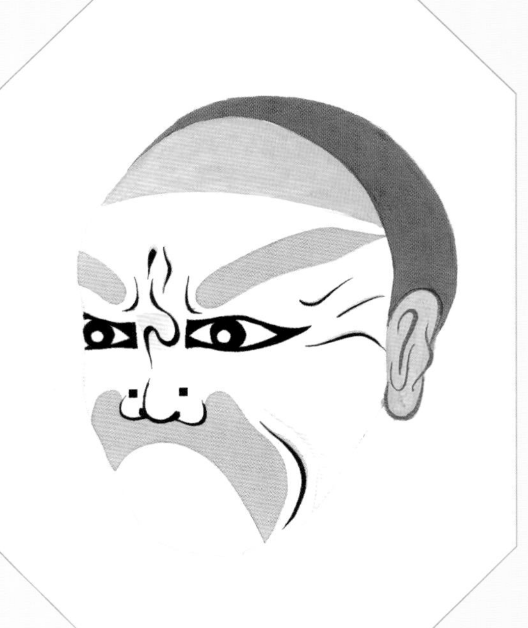

729 丁員外《打漁殺家》
(DING YÜAN WAI)

730 胡傷《將相和》
（ HU SHANG ）

731 姬光《哭秦庭》
（ JI GUANG ）

732 董卓《鳳儀亭》
（ DONG ZHUO ）

733 阮大鋮《桃花扇》
（ RUAN DA CHENG ）

734 李元吉《羅成》
（ LI YUAN JI ）

735 都郵《鞭打都郵》
（ DU YOU ）

736 華歆《逍遙津》
（ HUA XIN ）

737 秦燦《寶蓮燈，錢寶峰譜》
（ QIN CAN ）

738 歐陽芳《下河東》
（ OU YANG FANG ）

739 張士貴《獨木關》
（ ZHANG SHI GUI ）

740 魏虎《算軍糧》
（ WEI HU ）

741 張邦昌《挑滑車》
（ ZHANG BANG CHANG ）

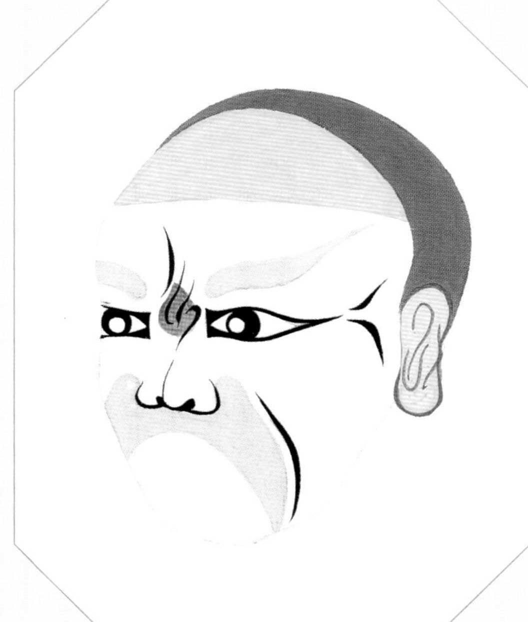

742 劉豫《三盜令》
（ LIU YÜ ）

743 陳友諒《戰太平》
（ CHEN YOU LIANG ）

744 王欽若《楊門女將》
（ WANG QIN RUO ）

745 趙高《宇宙鋒》
（ ZHAO GAO ）

746 任伯玉《雲羅山》
（ REN BO YÜ ）

747 張淙《孫安動本》
（ ZHANG CONG ）

748 鄢懋卿《大紅袍》
(YEN MAO QING)

749 費無極《戰樊城》
(FEI WU JI)

750 張泰《法場換子》
(ZHANG TAI)

751 崇公道《女起解》
(CONG GONG DOA)

752 伯嚭《吳越春秋》
(BO PI)

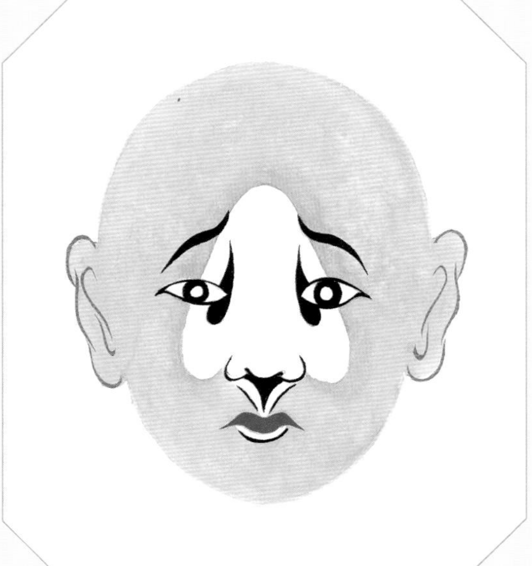

753 齊莊公《海潮珠》
(QI ZHUANG GONG)

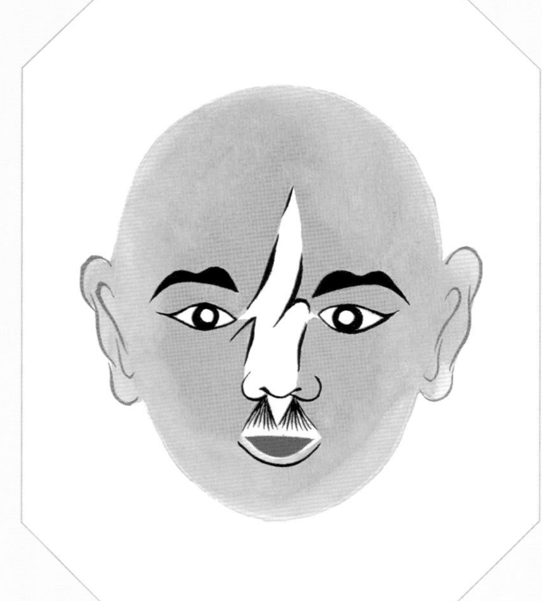

754 邱小義《五人義》
(QIU XIAO YI)

755 豹子《界牌關》
(BAO ZI)

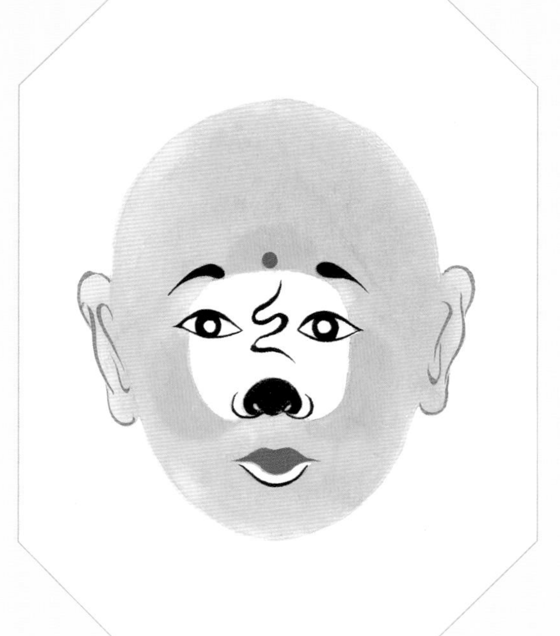

756 德祿《御碑亭》
(DE LU)

757 金松《紅鸞禧》
(JIN SONG)

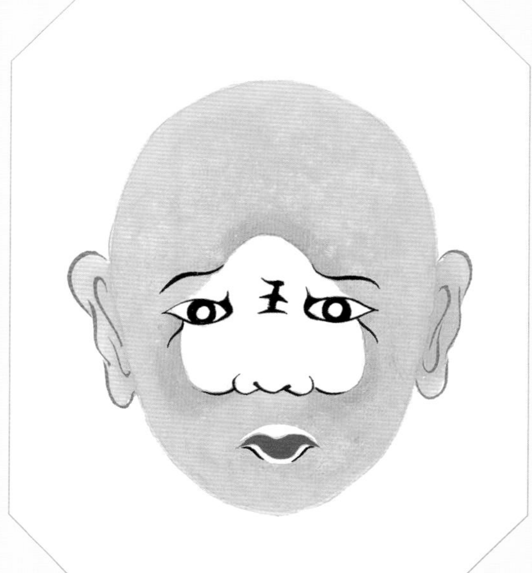

758 史文《鐵弓緣》
(SHI WEN)

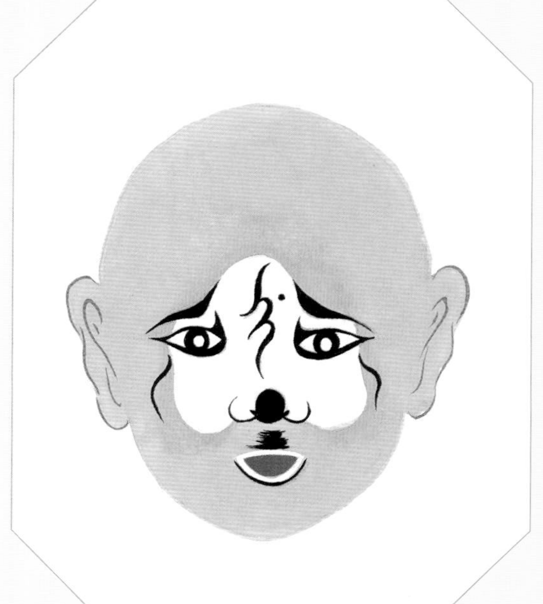

759 金祥瑞《失印救火》
(JIN XIANG RUI)

760 杜保《金錢豹》
(DU BAO)

761 王伯燕《三盜九龍杯》
(WANG BO YAN)

762 二百五《大劈棺》
(ER BAI WU)

763 賈桂《法門寺》
(JIA GUI)

764 了空《祥梅寺》
(LIAO KONG)

765 哈密蚩《潞安州》
(HA MI CHI)

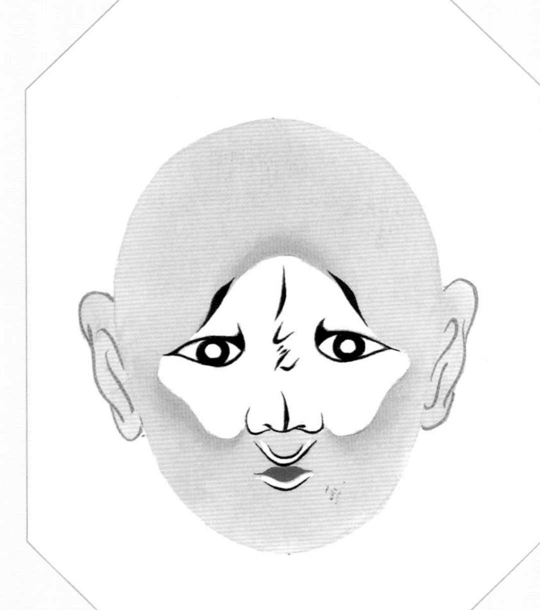

766 沈延林《玉堂春》
（ SHEN YAN LIN ）

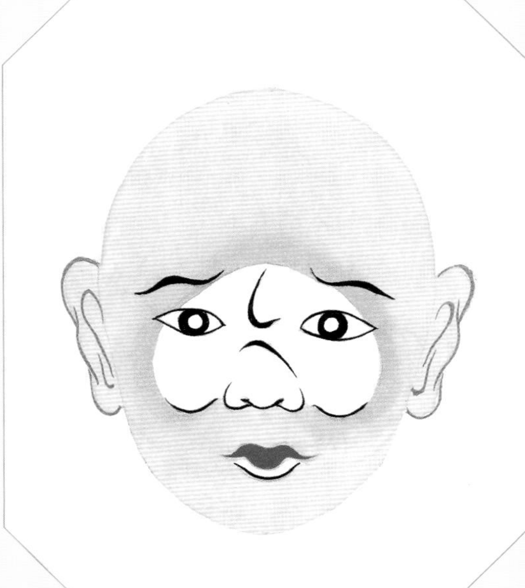

767 張文遠《烏龍院》
（ ZHANG WEN YUAN ）

768 高世德《野豬林》
（ GAO SHI DE ）

769 老皂吏《小上坟》
（ LAO ZAO LI ）

770 老皂吏《小上坟》
（ LAO ZAO LI ）

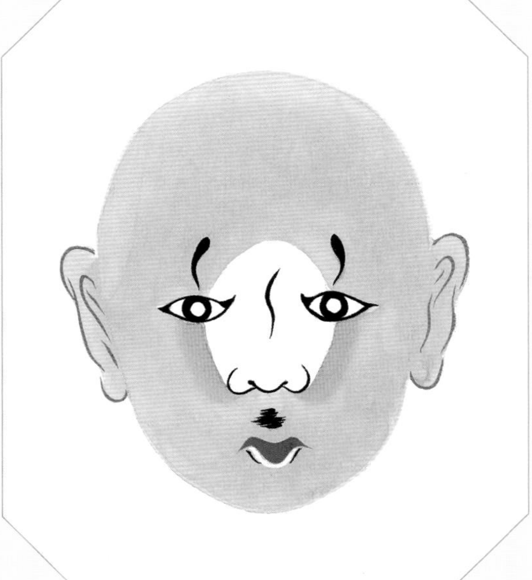

771 劉祿景《小上坟》
（ LIU LU JING ）

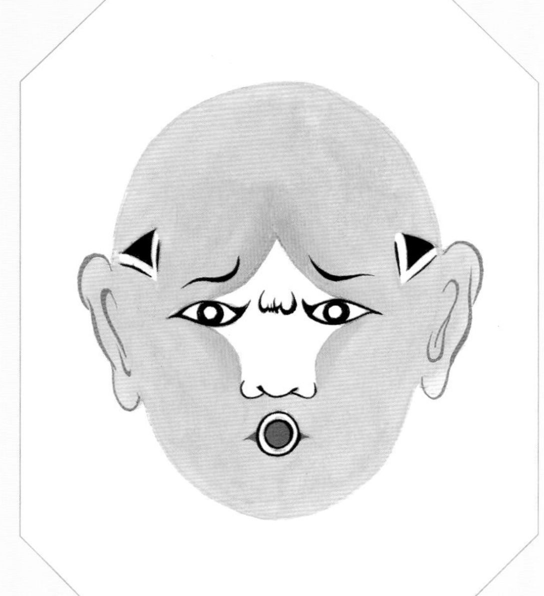

772 夏侯恩《長坂坡》
（ XIA HOU EN ）

773 湯勤《一捧雪》
（ TANG QIN ）

774 蔣幹《群英會》
（ JIANG GAN ）

775 婁阿鼠《十五貫》
（ LOU A SHU ）

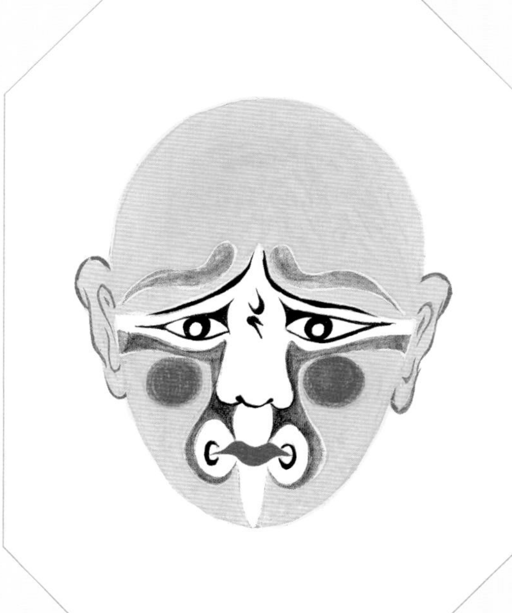

776 時遷《巧連環》
（ SHI QIAN ）

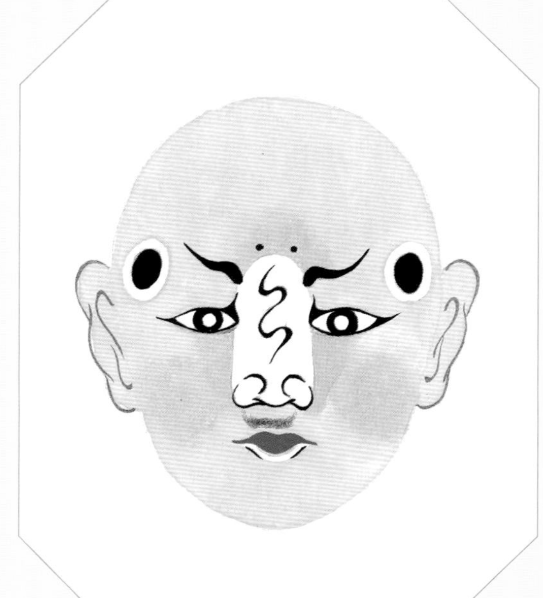

777 朱光祖《連環套》
（ ZU GUANG ZU ）

778 賈明《三俠劍》
（ JIA MING ）

779 崔八《絨花計》
（ CUI BA ）

780 書童《盜銀壺，張金樑譜》
（ SHU TONG ）

781 薛霸《野豬林》
（ XUE BA ）

782 王書吏《打麵缸》
（ WANG SHU LI ）

783 胡羅鍋《下河南》
（ HU LUO GUO ）

784 豬變小姐《金錢豹》
(ZHU BIAN XIAO JIE)

785 夏侯傑《長坂坡》
(XIA HOU JIE)

786 驛卒《春秋筆》
(YI ZU)

787 王英《扈家莊》
(WANG YING)

788 張華《銅網陣》
(ZHANG HUA)

789 房書安《藏珍樓》
(FANG SHU AN)

790 地葫蘆《五人義》
(DI HU LU)

791 涂艮《藏珍樓》
(XÜ LIANG)

792 胡理《巴駱和》
(HU LI)

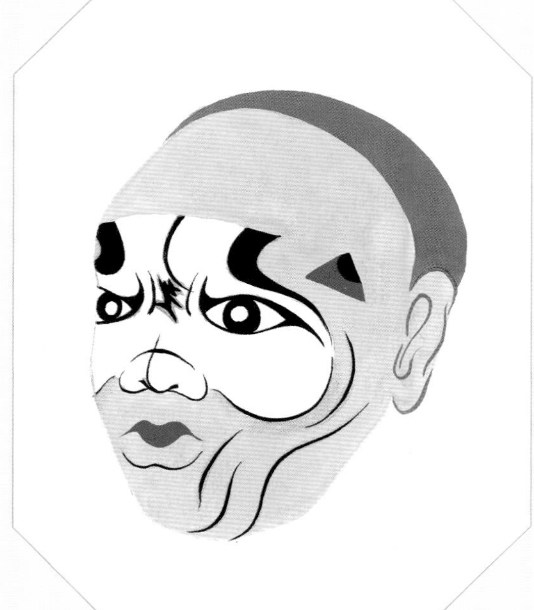

793 張文遠《活捉三郎》
（ ZHANG WEN YUAN ）

794 張文遠《活捉三郎》
（ ZHANG WEN YUAN ）

795 施不全《三搜府》
（ SHI BU QÜAN ）

796 朱彪《四杰村》
（ ZHU BIAO ）

797 白先生《瞎子逛燈》
（ BAI XIAN SHENG ）

798 涂大漢《過霸州》
（ XÜ DA HAN ）

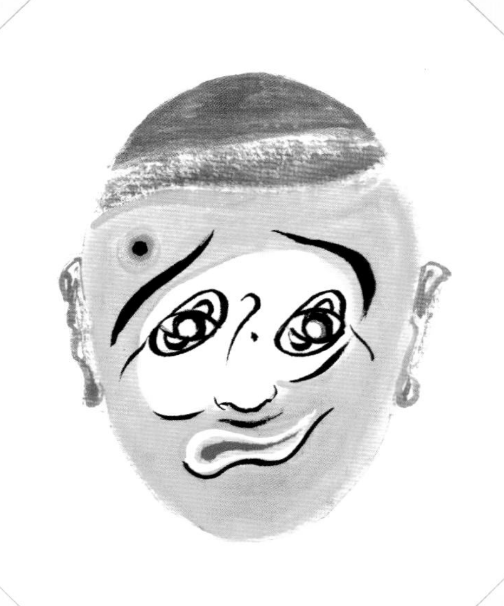

799 白眼狼《十三妹》
（ BAI YAN LANG ）

800 傻小子《探親家》
（ SHA XIAO ZI ）

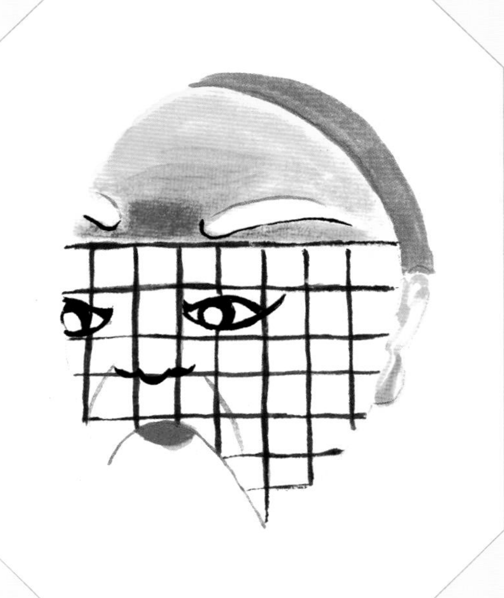

801 窗戶凳《荷珠配》
（ CHUANG HU DENG ）

802 后羿《嫦娥奔月》
（ HOU YI ）

803 吳剛《嫦娥奔月》
（ WU GANG ）

804 金烏《天香慶節》
（ JIN WU ）

805 敖丙《陳塘關》
（ AO BING ）

806 紂王《封神榜》
（ ZHOU WANG ）

807 崇侯虎《進妲己》
（ CHONG YOU HU ）

808 崇黑虎《進妲己》
（ CHONG HEI HU ）

809 陸壓《黃河陣》
（ LU YA ）

810 高覺《梅花嶺》
（ GAO JUE ）

811 高明《梅花嶺》
（ GAO MING ）

812 余化《反五關》
（ YÜ HUA ）

813 敖順《陳塘關》
（ AO SHUN ）

814 陶榮《絕龍嶺》
（ TAO RONG ）

815 周幽王《烽火台》
（ ZHOU YOU WANG ）

816 惠南王《伐子都》
（ HUI NAN WANG ）

817 晉獻公《審蜂計》
（ JIN XIAN GONG ）

818 唐狡《摘纓會》
（ TANG JIAO ）

819 柳展雄《臨潼會》
（ LIU ZHAN XIONG ）

820 楊德勝《荒山淚》
（ YANG DE SHENG ）

821 崔杼《海潮珠》
（ CUI ZHU ）

822 秦哀公《哭秦庭》
（ QIN AI GONG ）

823 智伯《豫讓橋》
（ ZHI BO ）

824 公孫捷《二桃殺三士》
（ GONG SUN JIE ）

825 古冶子《二桃殺三士》
（ GU YE ZI ）

826 毛賁《五雷陣》
（ MAO BEN ）

827 西門豹《河伯娶婦》
（ XI MEN BAO ）

828 王翦《五雷陣》
（ WANG JIAN ）

829 陳金定《馬上緣》
（ CHEN JIN DING ）

830 齊宣公《湘江會》
（ QI XUAN GONG ）

831 白猿《棋盤會》
（ BAI YUAN ）

832 白起《黃金台》
（ BAI QI ）

833 秦王稷《將相和》
（ QIN WANG JI ）

834 魏安釐王《竊兵符》
（ WEI AN LI WANG ）

835 樊噲《鴻門宴》
（ FAN KUAI ）

836 項伯《鴻門宴》
（ XIANG BO ）

837 王陵《黃金印》
（ WANG LING ）

838 曹参《九里山》
（ CAO CAN ）

839 周蘭《九里山》
（ ZHOU LAN ）

840 呂馬通《九里山》
（ LÜ MA TONG ）

841 彭越《九里山》
（ PENG YÜE ）

842 呼韓邪《漢明妃》
（ HU HAN XIE ）

843 毛延壽《漢明妃》
（ MAO YAN SHOU ）

844 胡克丹《蘇武牧羊》
（ HU KE DAN ）

845 壼衍緹《蘇武牧羊》
（ KUN YAN TI ）

846 單于《蘇武牧羊》
（ SHAN YÜ ）

847 雷叙《取洛陽》
（ LEI XIÜ ）

848 王元《取洛陽》
（ WANG YÜAN ）

849 耿弇《鬧昆陽》
（ GENG YAN ）

850 耿虎《鬧昆陽》
（ GENG HU ）

851 巨無霸《收邳彤》
（ JU WU BA ）

852 司馬昭《取南郡》
（ SI MA ZHAO ）

853 許貢《斬于吉》
（ XÜ GONG ）

854 鞠義《磐河戰》
（ JÜ YI ）

855 秦琪《過五關》
（ QIN QI ）

856 蔡陽《古城會》
(CAI YANG)

857 孔秀《過五關》
(KONG XIU)

858 孟坦《過五關》
(MENG TAN)

859 韓福《過五關》
(HAN FU)

860 卞喜《過五關》
(BIAN XI)

861 王植《過五關》
(WANG ZHI)

862 張允《群英會》
(ZHANG YUN)

863 黃信《瓦礫場》
(HUANG XIN)

864 郎天印《珍珠烈火旗》
(LANG TIAN YIN)

865 夏侯惇《長坂坡》
（ XIA HOU DUN ）

866 蔣欽《回荆州》
（ JIANG QIN ）

867 鄧艾《壜山谷》
（ DENG AI ）

868 陳武《三江口》
（ CHEN WU ）

869 韓當《走麥城》
（ HAN DANG ）

870 孟達《走麥城》
（ MENG DA ）

871 韓德《鳳鳴關》
（ HAN DE ）

872 秦朗《斬鄭文》
（ QIN LANG ）

873 李元霸《四平山》
（ LI YUAN BA ）

874 史龍《粉宮樓》
(SHI LONG)

875 杜曾《荀灌娘》
(DU ZENG)

876 周舫《荀灌娘》
(ZHOU FANG)

877 石勒《桑園寄子》
(SHI LE)

878 楊廣《南陽關》
(YANG GUANG)

879 蔣門神《快活林》
(JIANG MEN SHEN)

880 伍保《南陽關》
(WU BAO)

881 來護《賈家樓》
(LAI HU)

882 童環《賈家樓》
(TONG HUAN)

883 魯明星《賈家樓》
(LU MING XING)

884 伯顏《正氣歌》
(BO YAN)

885 伍天錫《車輪戰》
(WU TIAN XI)

886 裴元慶《絕虎嶺》
(PEI YUAN QING)

887 黃壯《御果園》
(HUANG ZHUANG)

888 常何《畫龍點睛》
(CHANG HE)

889 賀道安《粉宮樓》
(HE DAO AN)

890 李庭芝《正氣歌》
(LI TING ZHI)

891 紅幔幔《摩天嶺》
(HONG MAN MAN)

892 猩猩膽《摩天嶺》
（ XING XING DAN ）

893 鄧萬川《三俠五義》
（ DENG WAN CHUAN ）

894 展虎《選元戎》
（ ZHAN HU ）

895 鄧車《花蝴蝶》
（ DENG CHE ）

896 樊龍《馬上緣》
（ FAN LONG ）

897 樊虎《馬上緣》
（ FAN HU ）

898 天慶王《雙龍會》
（ TIAN QING WANG ）

899 張天佐《鬧花燈》
（ ZHANG TIAN ZUO ）

900 張天佑《鬧花燈》
（ ZHANG TIAN YOU ）

901 程鐵牛《九錫宮》
（ CHENG TIE NIU ）

902 武三思《謝瑤環》
（ WU SAN SI ）

903 來俊臣《謝瑤環》
（ LAI JÜN CHEN ）

904 沈謙《粉妝樓》
（ SHEN QIAN ）

905 朱虎《揚州擂》
（ ZHU HU ）

906 朱彪《揚州擂》
（ ZHU BIAO ）

907 朱豹《揚州擂》
（ ZHU BAO ）

908 朱龍《揚州擂》
（ ZHU LONG ）

909 廖龍《四傑村》
（ LIAO LONG ）

910 廖虎《四傑村》
（ LIAO HU ）

911 廖彪《四傑村》
（ LIAO BIAO ）

912 廖豹《四傑村》
（ LIAO BAO ）

913 巴蘭《百花公主》
（ BA LAN ）

914 黃衫客《霍小玉》
（ HUANG SHAN KE ）

915 孫飛虎《西廂記》
（ SUN FEI HU ）

916 楊子琳《浣花溪》
（ YANG ZI LIN ）

917 阿瑪兆壽《惜猩猩》
（ A MA ZHAO SHOU ）

918 李存信《飛虎山》
（ LI CUN XIN ）

919 劉裕《下河東》
(LIU YÜ)

920 白龍太子《下河東》
(BAI LONG TAI ZI)

921 馮茂《桃花陣》
(FENG MAO)

922 楊延定《雙龍會》
(YANG YAN DING)

923 楊延光《雙龍會》
(YANG YAN GUANG)

924 楊延德《五台山》
(YANG YAN DE)

925 耶律休哥《金沙灘》
(YE LÜ XIU GE)

926 巴若裏《狀元媒》
(BA RUO LI)

927 傅龍《狀元媒》
(FU LONG)

928 潘豹《天齊廟》
（ PAN BAO ）

929 蕭天佐《天門陣》
（ XIAO TIAN ZUO ）

930 蕭天佑《天門陣》
（ XIAO TIAN YOU ）

931 烏龍道人《天門陣》
（ WU LONG DAO REN ）

932 柴干《打韓昌》
（ CHAI GAN ）

933 白天佐《戰洪州》
（ BAI TIAN ZUO ）

934 龐煜《呼延慶打擂》
（ PANG YU ）

935 孟强《呼延慶打擂》
（ MENG QIANG ）

936 馬龍《山海關》
（ MA LONG ）

937 焦玉《呼延慶打擂》
（ JIAO YÜ ）

938 王倫《穆桂英掛帥》
（ WANG LUN ）

939 葛瑤明《臥虎溝》
（ GE YAO MING ）

940 沙龍《臥虎溝》
（ SHA LONG ）

941 東方明《藏珍樓》
（ DONG FANG MING ）

942 趙珏《銅網陣》
（ ZHAO JÜE ）

943 張天龍《雙沙河》
（ ZHANG TIAN LONG ）

944 鄧飛《祝家莊》
（ DENG FEI ）

945 李袞《大名府》
（ LI GUN ）

946 樊瑞《大名府》
(FAN RUI)

947 項充《大名府》
(XIANG CHONG)

948 任原《神州擂》
(REN YÜAN)

949 雲天彪《九陽鐘》
(YUN TIAN BIAO)

950 費保《昊天關》
(FEI BAO)

951 趙玉《昊天關》
(ZHAO YÜ)

952 文天祥《三盡忠》
(WEN TIAN XIANG)

953 童貫《黨人碑》
(TONG GUAN)

954 柴桂《求賢鑒》
(CHAI GUI)

955 郭藥師《玉玲瓏》
(GUO YAO SHI)

956 張奎《挑滑車》
(ZHANG KUI)

957 黑風力《挑滑車》
(HEI FENG LI)

958 圖濆龍《挑滑車》
(TU XÜ LONG)

959 圖濆虎《挑滑車》
(TU XÜ HU)

960 金光德照《挑滑車》
(JIN GUANG DE ZHAO)

961 金光普照《挑滑車》
(JIN GUANG PU ZHAO)

962 雪裏花豹《岳家莊》
(XUE LI HUA BAO)

963 張兆奴《岳家莊》
(ZHANG ZHAO NU)

964 嚴成方《八大錘》
(YAN CHENG FANG)

965 何元慶《八大錘》
(HE YÜAN QING)

966 狄雷《八大錘》
(DI LEI)

967 趙斌《濟公傳》
(ZHAO BIN)

968 楊明《濟公傳》
(YANG MING)

969 雷鳴《濟公傳》
(LEI MING)

970 法源《濟公傳》
(FA YÜAN)

971 廖瑩《紅梅閣》
(LIAO YING)

972 明玉珍《狀元印》
(MING YÜ ZHEN)

973 趙普勝《戰太平》
（ ZHAO PU SHENG ）

974 紂王《摘星樓》
（ ZHOU WANG ）

975 夫差《吳越春秋》
（ FU CHAI ）

976 涂海《大紅袍》
（ XÜ HAI ）

977 趙匡胤《斬黃袍》
（ ZHAO KUANG YIN ）

978 顧瀆《四進士》
（ GU DU ）

979 盧林《蝴蝶杯》
（ LÜ LIN ）

980 蔣旺《溪皇莊》
（ JIANG WANG ）

981 馬凱《永慶昇平》
（ MA KAI ）

982 齊頃公《登臺笑客》
（ QI QING GONG ）

983 姬僚《魚藏劍》
（ JI LIAO ）

984 武萬年《蓮花湖》
（ WU WAN NIAN ）

985 吳太山《畫春圖》
（ WU TAI SHAN ）

986 秦昭襄王《將相和》
（ QIN ZHAO XIANG WANG ）

987 濮大勇《英雄會》
（ PU DA YONG ）

988 米龍《八蜡廟》
（ MI LONG ）

989 竇虎《八蜡廟》
（ DOU HU ）

990 張天師《五花洞》
（ ZHANG TIAN SHI ）

991 假天師《五花洞》
（ JIA TIAN SHI ）

992 黃巢《祥梅寺》
（ HUANG CHAO ）

993 虎婆《同命鳥》
（ HU PO ）

994 楊香武《講堂鬥志》
（ YANG XIANG WU ）

995 楊香武《九龍杯》
（ YANG XIANG WU ）

996 程咬金《賈家樓》
（ CHENG YAO JIN ）

997 程咬金《選元戎》
（ CHENG YAO JIN ）

998 李克用《沙陀國，穆鳳山譜》
（ LI KE YONG ）

999 李克用《珠簾寨老生扮》
（ LI KE YONG ）

國家圖書館出版品預行編目資料

京劇臉譜集/吳兆南　著　—出版—
臺北市、吳兆南、民 90
面：公分　1. 國劇－臉譜
ISBN 986-80107-0-5（精裝）
982.42　91000846

京劇臉譜集

編著者：吳兆南

繪圖者：范國智、吳兆南

校對者：田兆霖

出版者：吳兆南相聲劇藝社

製版印刷：瑞鴻印刷事業有限公司

地址：臺北市麗水街 13 巷 3 號 6 樓

電話：(02) 2341－3456

傳真：(02) 2393－7652

經銷處：瑞鴻印刷事業有限公司

出版日期：中華民國九十年九月九日出版

定價：新台幣貳仟元整

US $ 80.

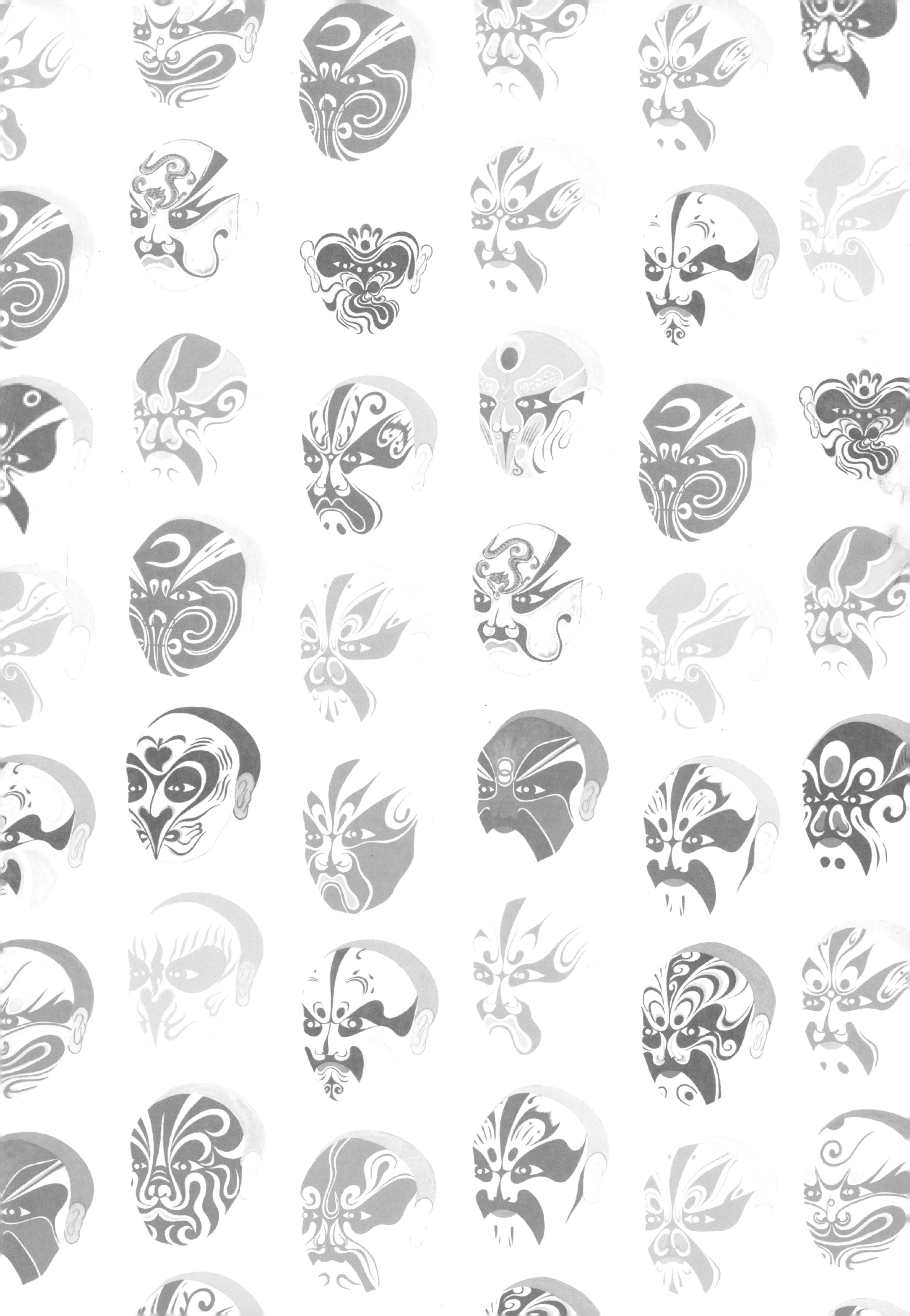